WAC BUNKO

元駐ウクライナ大使

馬渕睦夫が読み解く
2024年世界の真実

ハマス戦争はウクライナで失敗した
ディープステート最後の賭けだった

馬渕睦夫

WAC

はじめに

『2023年世界の真実』（ワック刊、以下前著）では、安倍総理の暗殺事件から書き起こしました。大変衝撃的な事件でしたが、私が訴えたかったメッセージは、安倍総理が蒔《ま》かれた「多くの種が芽吹く」ことでした。しかし、残念ながら2023年には芽吹くことがありませんでした。その理由は、第2部の最終章（あとがきにかえて）で論じました。私が見通しを誤ったともいえますが、2023年段階では、岸田政権の本質を十分には見抜けなかったのです。

本書は、『2019年世界の真実』から始まったこのシリーズの6冊目となります。今までとは異なり、私の情勢判断と、メッセージを明確に出すようにしました。しかも、読者の方々に、語りかけるスタイルを取りました。何故なら、2023年は従来の世界構造のパラダイムが根本的に変化したため、丁寧に説明する必要を感じたからです。なお、本稿ではディープステート（ＤＳ）について、論じることはしませんでしたので、ご関心のある方は拙著『ディープステート　世界を操るのは誰か』（ＷＡＣ　ＢＵＮＫＯ）を参照ください。

そこで、今年から来年以降にかけての世界を読み解くために、２部構成にしました。第１部は、２０２３年中のウクライナ戦争を巡る様々な動きに照準を当てて、集中的に論じました。何故なら、ウクライナ戦争を俯瞰《ふかん》的に理解することが、２０２４年以降の世界を予測する上で、不可欠だからです。

第２部は、第１部の動きを基に、２０２４年以降の世界情勢を予測しました。百年に一度の地殻変動が起こった国々の動きを解説しました。

第２部第１章は、去る９月13日ロシア極東で行われた、プーチン大統領と金正恩総書記の首脳会談を取り上げました。詳しくは本文をご覧願いたいのですが、北朝鮮が史上初めてディープステート（ＤＳ）の支配を離れて、ロシアと事実上の同盟関係に入ったのです。前著では朝鮮半島有事の可能性に触れましたが、今年以降その構図が逆転しました。2024年以降、朝鮮半島有事があるとすれば、1950年6月のように北朝鮮が韓国を侵略するのではなく、韓国が北朝鮮に攻め入る可能性が高まったのです。私たちはこの事態に今から備えておく必要があります。絶対に避けなければならないことは、韓国と一緒になって北朝鮮を攻撃することです。ひょっとして、8月18日のキャンプ・デービッド日米韓首脳会談でこの可能性が話し合われたのかもしれません。

第2部第2章は、プーチン大統領のDSに対する戦いの歴史を振り返りました。これまでのプーチン氏のこの戦いの恩恵に、実は我が国も与《あずか》ってきたのです。プーチン大統領の真意を読み解く鍵は、2022年9月30日の4州併合条約調印式における演説でした。その時は、プーチン氏がDSとの全面戦争の決意を表明したことが、既存メディアの注目を浴びましたが、プーチン氏のもう一つのメッセージは欧米の愛国主義勢力に対し、DSに対する共闘を持ちかけていたことでした。そのメッセージに欧米の愛国主義勢力が答えつつあるというのが、今日の状況と考えられます。同年11月に入って、米露の情報機関のトップがトルコで会談しましたが、これはウクライナ戦争の停戦を協議したもので、アメリカの愛国者たちが動き出したと見ることができます。

プーチン演説には他にも注目すべき点があります。一つは、日米韓の政治・軍事協力が強化されたと指摘していることです。キャンプ・デービッド会談のほぼ1年前に、プーチンはこの3カ国の水面下の動きを摑《つか》んでいたのかもしれません。2番目は、北朝鮮への言及が見られないことです。この時すでに、北朝鮮との関係強化が話し合われていたものと見られます。

第2部第3章は、トランプ大統領とDSとの対決を取り上げました。これは、現在のハマス・イスラエル戦争に直結しています。本書の脱稿時点の10月末の段階では、全貌がまだ明らかになっていないので断定は困難ですが、この戦争の背後にあるのは、イスラエルという国家の安全保障をどう強化するかという問題なのです。

トランプ大統領は、2020年9月15日のアブラハム合意によって、イスラエルとアラブ首長国連邦、およびバーレーンとの国交を樹立させました。イスラエルにとっては、自国の安全が強化されたのですから、喜ぶべきことであるはずなのですが、ネタニヤフ首相は歓迎していなかったのです。

この2カ国の次は、イスラエルとサウジアラビアの国交正常化でした。トランプ大統領の失職によっていまだ実現していませんが、ネタニヤフが消極的なのは変わっていません。サウジとイスラエルとの国交正常化によって、パレスティナの大義が無くなることを恐れたハマスが、イスラエルに奇襲攻撃を仕掛けたとの解説が行われていますが、鵜呑みにはできません。トランプはイスラエルとパレスティナの二国家共存を目指していました。これこそ、イスラエルの安全保障に貢献するものです。それを目指し、アメリカ大使館を西エルサレムに移転し、エルサレムをイスラエルの首都と承認しました。ただし、パレスティナ国家との間でエルサレムをどのように分割するかは、当事者で決めればよいとしたわけです。ネタニヤフの言動から窺《うかが》えることは、二国家共存に反対していることです。これは、DSの考えそのものです。イスラエルの安全を不安定にしておくことが、戦争勢力DSにとって好ましいからです。

また、イランの参戦を恐れる論評も少なくありませんが、一部メディアの報道はむしろ参戦を期待しているように聞こえます。もし、イランが参戦すれば第3次世界大戦に拡大する可能性が大きく、DSの思うつぼだからです。DSメディアの論調には注意が必要です。

第2部第4章では、前著で最大の紙面を割いた中国を取り上げました。習近平主席の横暴ぶりから、中国が台湾に侵攻するのではないかとか、中国経済が今にも崩壊する寸前だとかの指摘が多くなされていたからです。現在でも、保守層の間で、この2点が姦《かしま》しく論じられていますが、私は台湾有事も中国の崩壊もないと考えています。

その理由を、本文で詳しく論じました。

台湾有事が起こらない理由は単純で、1950年1月のアチソン演説以来、台湾は中国の領土だからです。だから、もともと自分の領土であるのに、わざわざ侵攻するメリットは何処《どこ》にもないのです。もう一点は、中国は崩壊しないということです。中国は国家ではなく、市場なのです。だから、習近平が失脚することはあり得ても、中国という市場は崩壊しないのです。

習近平が狙うのは、日本です。いまだ、歴代中国皇帝が誰も成功していない日本征服を、もし習近平が成し遂げたら、毛沢東を超える皇帝になれるでしょう。我が国は、習近平が日本攻撃の口実に援用する可能性がある国連敵国条項という亡霊に要注意です。国連加盟国とは連合国、つまり第2次世界大戦の戦勝国のメンバーということですから、敗戦国である敵国に対して軍事行動をとる自由を有しているのです。

安倍元総理が回顧録で明らかにしておられるように、習近平は共産主義者ではなく、リアリストです。権力を握る目的のために、共産党員であるにすぎないのです。

最終章では、2024年以降我が国はいかに生き残るべきかを論じました。岸田政権が日本をDSに売り渡してしまったため、2023年は我が国が漂流を続けた年でした。この状態から抜け出る最大の鍵は、「君民共治」の政治体制を確立することです。単に権威と権力の分立ではなく、日本が祭祀共同体であるという精神的自覚に基づくものです。

天皇陛下のみならず、私たち一人ひとりも神の子孫であり、神格を有する存在であることを自覚することです。このような自覚の下に、惟神《かんながら》の道を実践することによって、私たちは黄金の時代を迎えることができることでしょう。本書は、日本人を見捨てた岸田政権に対する決別の書でもあります。

お読みいただければお分かりになると思いますが、私は読者の一人ひとりに語りかけるように努めてきました。本書のような形で、皆様にお届けできるのは、企画の段階から私の構想に理解を示し、叱咤激励してくださったWACの佐藤幸一常務執行役員のおかげです。ここに深く感謝申し上げます。

令和5年(2023年)11月吉日

馬渕睦夫

馬渕睦夫が読み解く
2024年世界の真実
ハマス戦争は、ウクライナで失敗したディープステート最後の賭けだった!

◎目次

第2章 亡国の岸田外交

第2部　2024年はディープステートの崩壊が始まる

装幀／須川貴弘（ＷＡＣ装幀室）

第1部

ウクライナ戦争と世界、そして日本

第1章　日本人が知らないウ戦争の真実

歴史は繰り返した——その1　弱者の味方をすると戦争が始まる

2022年2月24日にロシア軍がウクライナに侵攻し、ほぼ1年8カ月が経過した現在、日本での報道とは裏腹に、ロシアがほぼ勝利しつつあり、ウクライナ戦争は事実上終了しています。

本稿ではウクライナ戦争そのものを扱うのではなく、ウクライナ戦争をめぐる歴史の教訓について改めて考えたいと思います。2022年4月にワックから『ウクライナ紛争　歴史は繰り返す』を上梓しましたが、まさしく歴史は繰り返しました。私たちが学ぶべきは、歴史が繰り返すパターンを見抜くことです。同じパターンが２０２４年以降も繰り返される可能性が高いからです。

前著ではウクライナ戦争の詳細については、時間的制約もあり、説明し尽くすことができませんでしたが、２０２２年から、トランプ大統領に代わり、プーチン大統領がディープステート（ＤＳ）と全面的に戦うようになりました。詳細は、第２部第２章で論じますが、それをより良く理解するために、ウクライナ戦争を巡る今日までの動きを回顧してみたいと思います。

ポーランドと蔣介石の悲劇

戦争が起きるとき、そこには共通のパターンが見てとれます。対立している当事国のうち、弱い方の味方をすると戦争が誘発されるのです。その犠牲となったのが、日本とナチス・ドイツです。満洲事変は何の利害関係も持たないチェコが執拗に介入し、日本と蔣介石との直接交渉を長引かせたのです。

過去１００年の戦争の歴史を見れば、ウィルソン大統領の提唱になる国際連盟の諸悪が蘇ってきます。いうまでもなく、国際連盟はウィルソン大統領の理想主義的外交の成果ではありません。紛争の議論には直接の当事国以外も気軽に参加できたため、いつまでたっても紛争が終わらない事態に陥ったわけです。

第2次世界大戦の火ぶたが切られたナチス・ドイツとポーランドとの交渉を見ると、ヒトラーはドイツ住民が90%を占めるかつてのドイツ領ダンチヒの返還と、ポーランド回廊内において、飛び地である東プロシャとドイツ本土を結ぶ鉄道とアウトバーンの建設を認めるよう要求したにすぎず、妥協は可能でした。しかし、ナチスと妥協しないよう強硬な態度をとるよう仕向けたのは、アメリカのルーズベルト政権でした。加えて、イギリスとフランスがポーランドの独立を保証していたのです。ポーランドが侵略されたらポーランド側に立って戦うというといういわば白紙委任状でしたが、これらをバックにして、ポーランドは極めて寛大な要求だったヒトラーの解決案にもかかわらず、最後まで受け入れなかったのです。それどころか、旧ドイツ領であったポーランド回廊に住むドイツ系住民の虐殺を始めました。ヒトラーに自国民保護の大義名分を与えることになったのです。かくしてナチス・ドイツのポーランド侵攻（1939

年9月1日）に対して英仏がドイツに宣戦し、ここに第2次世界大戦が開始されたのです。
弱小国の味方をすると戦争が長引く例も見られました。支那事変において蔣介石はアメリカから圧力を受けていました。日本と妥協せず、あくまで戦争を続けるようにというものです。蔣介石としては最大の敵、毛沢東の共産軍を壊滅させるために日本と妥協したかったわけですが、首都南京を失っても重慶に逃れて日本と戦わされたのです。アメリカの真の目的は蔣介石を支援することではなく、毛沢東を勝たせることでした。大戦終了後の国共内戦でアメリカが毛沢東を支援したため、蔣介石は台湾に逃れる羽目になったのです。

ポーランドや蔣介石の運命は、ウクライナ戦争におけるゼレンスキー大統領と重なって見えます。ゼレンスキーがロシアとの停戦を望んでも、アメリカやイギリスに潰されてきました。実は、２０２２年3月末に停戦案（ウクライナのＮＡＴＯ非加盟、外国軍によるウクライナ軍事基地不使用、クリミアの帰属問題は15年凍結、ウクライナのＥＵ加盟は容認）がつくられていました。ウクライナにとって呑めない案ではありません。これを潰したのがイギリスのジョンソン首相でした。彼は3回もキエフを訪問し破棄させたのです。ことほど左様に、ゼレンスキーは戦争を止めさせてもらえなかったのです。アメリカは「侵略の犠牲者であるウクライナが勝利するまで武器援助を継続する」と明言していますが、その本音はウクライナが滅ぶまでロシアとの戦争を続けさせるということにあります。

戦争を慫慂《しょうよう》された国は滅ぶという歴史の鏡はまさにポーランドでした。独ソ不可侵条約秘密議定書に従い、ソ連がポーランドに侵攻して東半分を占領しました。しかし、英仏はポーランドの独立を侵犯したソ連には宣戦しなかったのです。その理由を正統派歴史学者は教えてくれません。かくしてポーランドは地図上から消えてしまったわけです。なお、第2次大戦開始80周年の2019年9月、欧州議会は「欧州の未来に向けた重要な欧州の記憶」決議を行い、「第2次世界大戦が勃発した原因は、独ソ不可侵条約とその秘密議定書の直接の結果である」と断定しました。つまり、ヒトラーとスターリンは同罪であると認定したのです。ファシズムは共産主義より悪であるとの、ルーズベルト政権の参戦理由が否定されたのです。

この決議はウクライナ戦争をめぐり喧伝《けんでん》されているロシアは悪、ウクライナは善という「善悪二元論」を戒《いまし》める根拠の一つといえます。

ポーランド「ミサイル着弾」の真相

ウクライナ戦争は情報戦であり、私たちは欧米メディアの報道やウクライナ政府の発表に踊らされていますが、偽旗作戦が連日展開されてきました。典型例が２０２２年11月15日に起きたポーランド領へのミサイル着弾事件です。当初ロシアがポーランドをミサイル攻撃したとウクライナは頑なに主張しましたが、結局アメリカなどが否定したため大事には至りませんでした。最終的には、ウクライナがロシアのミサイルを迎撃しようとして発射したミサイルが外れてポーランド領に着弾したとして、悪いのはロシアだと結論づけられています。しかし、額面通りには受け取れません。ポーランドはＮＡＴＯのメンバーです。もし、ロシアがポーランドにミサイルを打ち込んだのなら、ロシアとＮＡＴＯの全面戦争、すなわち第3次世界大戦になってもおかしくない事態だったからです。ここにも、歴史が繰り返した例を見ることができるのです。

思い出されるのは２０１５年11月24日、シリア上空で発生したトルコ戦闘機によるロシア軍機撃墜事件です。シリアにおいてイスラム国掃討作戦に従事するロシア軍機が領空侵犯したとしてトルコ軍機に撃墜されましたが、トルコがＮＡＴＯメンバーであったため、世界はＮＡＴＯとロシアとの戦争の瀬戸際にありました。この時は、プーチン大統領がトルコのエルドアン大統領の責任を必要以上に追及しなかったため事なきを得ましたが、この事件が反エルドアンの空軍パイロットの仕業であったことが翌年7月の反エルドアン・クーデター未遂事件の際に判明しています。つまり、エルドアンの知らないうちに撃墜事件が起きたのです。トルコとロシアの戦争を策したＤＳの陰謀にほかなりません。

なお、２０２２年11月15日は偶然にしては不可思議なことが起こっていました。トランプ氏が２０２４年の大統領選挙への出馬を正式に表明した日だったのです。また当日は、アメリカのバーンズＣＩＡ長官（元駐露大使）がキエフを訪れています。前日、トルコの首都アンカラでバーンズＣＩＡ長官はナルイシキン・ロシア対外情報局長官と会談しました。11月15日を軸に、ウクライナ戦争終結を目指して米露間で何らかの折衝が行われていたと見られます。

トラス辞任の真相

ウクライナ戦争の転機になった最大の事件は、トラス英首相の唐突な辞任劇ではないでしょうか。トラス首相は就任後わずか1カ月半の10月20日に辞意を表明しました。大型減税政策の失敗で市場を混乱させたことが理由と報じられましたが、にわかには信じられません。就任後1カ月半にもかかわらずトラス氏を辞めさせなければならない、差し迫った事情があったはずです。辞意表明の翌日、ロシアは米英仏がウクライナでの核兵器使用を準備していると警告しました。米英仏は即座に否定しましたが、なぜトラス辞意表明の直後だったのか、疑問が膨らみます。トラス氏はアメリカから、イギリスの核をウクライナで使うよう圧力を受けたものの、それを拒否したため辞任せざるを得なかったと考えると、辻褄が合います。

アメリカは核兵器を実際に使用した世界で唯一の国だとの負い目があります。アメリカ以外の国に核兵器を使わせたがっていると考えても不思議ではありません。もちろん、彼らが核兵器を使っても、それをロシアの仕業とするキャンペーンを張り、世界の世論を反ロシアに誘導することを意図していたと考えられます。タイミング的には民主党を有利にするため米中間選挙前を選んだと見られます。

2013年夏にシリアでアサド政権が反体制派の拠点に対して化学兵器を使用したとして、オバマ大統領はアサド支配地域に対する空爆を宣言しました。イギリス議会の反対などもあって断念しましたが、この事件もアメリカ側が化学兵器を使用してアサドのせいにしようとしたとの疑念が払拭《ふっしょく》されていません。この間隙を縫《ぬ》って、シリアにおける化学兵器を国連が管理することを取りまとめたのがプーチン大統領でした。

私たちにとって重要なのは反プーチンの大合唱に追随することではなく、歴史が繰り返すパターンを見抜くことによって、世界の動きを正しく理解することです。

歴史は繰り返した——その2　ウクライナを待ち受ける苛酷な運命

正規軍は壊滅状態

2022年末から今年にかけて、ウクライナ支援に関する懐疑的な見解が欧米の高官の発言やメディア報道から窺《うかが》えるようになりました。フォン・デア・ライエンEU委員長が、ウクライナ軍の死者は10万人に及ぶと発言したとも報じられましたが、足並みが揃わないEU加盟国の対ウクライナ支援をリードしてきた委員長の発言だけに、極めて注目されます。ウクライナ正規軍は事実上壊滅していることを示唆するものだからです。

現在、ウクライナで戦闘に従事しているのは、ポーランド兵4万人をはじめ、イギリス、米国などほとんどがNATO諸国の義勇兵（総数9万人）です。つまり、今やロシアとウクライナの戦争はロシア軍（一部に友好国の義勇兵や軍事会社の兵士も参加しているといわれる）vsNATO義勇軍という戦いの構図が浮かび上がります。ゼレンスキー大統領は、欧米に向けた宣伝係と化していることになります。彼は自由に発言しているわけではなく、バイデン政権の指示に従って演技しているのです。

この戦争が最初からロシアvsアメリカ（現在のウクライナを支配しているネオコン勢力）の戦いであったことに鑑《かんが》みれば、ウクライナ政府の発表を検証もせずに報じていた欧米のメディアは、最近になって現実を踏まえた報道に徐々に切り替わりつつあります。そうした欧米の動きは、わが国のメディアにも波及しつつあります。ウクライナの敗北という決して認めたくない現実に目を瞑《つぶ》ることが、もはや不可能になったことを間接的に認めるものです。

ポーランドの野心

先述のように、ロシア軍と戦闘を行うNATO義勇軍の約半分をポーランドが占めていることは、ウクライナの将来を考えるうえで注目すべき事態といえます。ポーランドはNATO諸国の対ウクライナ軍事支援の最大の経由ルートとしての役割を果たしてきました。地理的条件や強い対露警戒感などから当然だといえばそれまでですが、歴史的に見ればそう単純ではないことがわかります。

実は、かつてポーランドはウクライナを支配下に置いた歴史があるのです。16世紀の後半には当時の強国リトアニアと国家連合を結び、南に位置するウクライナを支配しました。リトアニアは今でこそバルト三国の一小国にすぎませんが、16世紀から17世紀にかけて、この地域における強国の一つでした。

義勇軍の約半数を引き受けたうえ、ウクライナ避難民の受け入れなどによってウクライナに最大の恩を売っているのがポーランドです。この戦争が公に終了したとき、ウクライナに最大の見返りを要求する資格を持っているのはポーランドなのです。ポーランドがこのチャンスを最大限に活用しようと考えているとしても決して不思議ではありません。

もしそうなれば、最悪のシナリオとしてウクライナという国家が消滅することすら完全には排除できない事態となることでしょう。ドニエプル川を挟んで東がロシア、西がポーランドという新たな地図が出現します。もっとも、このような状況をロシアが望んでいるかどうかは不明です。ロシアはNATO加盟国のポーランドと長い国境を接することになりますが、この事態は国境の外に緩衝地帯を求めるというロシアの伝統的な安全保障観に反するからです。

欧米の指導者は十分弁《わきま》えていることですが、現在のウクライナは軍事的にも経済的にも、欧米の支援なくしては1日たりとも成り立ちません。問題はこの冷徹な現実を公にすることが憚《はばか》られてきたことです。言うまでもなく、この戦争を画策したのはバイデン・ネオコン政権です。ネオコンの支配下にあるメディアがロシア＝悪、ウクライナ＝善という善悪二元論の構図を世界にばらまき、洗脳してきました。わが国のメディアが一斉にこの二元論を報じているのは、私たちが日々経験している現実です。

しかし、このようなメディアの虚構も戦争の現実を覆い隠すことが次第に不可能になってきたといえます。最近、アメリカの主要メディアなどが次々にウクライナの苦境を報じるようになりました。例えば、ワシントンポストはライス元国務長官やゲイツ元国防長官の寄稿文を掲載して、「欧米の一層の支援がなくなればウクライナは敗北しかねない」と警鐘を鳴らしました。表向きはウクライナ支援強化を促したという風に読めますが、本音はむしろウクライナの敗北が迫っていることを気付かせる効果を狙ったとも考えられます。なぜなら、ライス氏はブッシュ（息子）ネオコン政権の高官だったので、ネオコンの意向が反映されているのかもしれないからです。

ウクライナの存在価値がなくなる

このような世界の世論の方向転換を受けてか、わが国のメディアにも論調に変化が見られるようになりました。例えば、２０２３年1月10日付産経新聞の「ウクライナ人への危惧」と題する遠藤良介論説委員のコラム（「一筆多論」）」です。遠藤氏は元産経新聞モスクワ支局長を務めたロシア通ですが、どうも本音を語れない事情があると感じました。「たとえ時間がかかっても、何ら大義を持たないロシアは敗れ、この戦争はウクライナの勝利で終わるに違いない」との一方的な希望を述べた後、ウクライナ人に対する一抹の不安について長々と解説しておられますが、指摘されている不安がウクライナの敗北を予想しているように読めるのです。

ウクライナ人の不安として、コサックの、自由を愛するが故に混乱を招きかねない伝統精神を挙げておられますが、今回の戦争を指導しているのはコサックではなくネオコン政権です。この点でこの記事は矛盾していますが、ウクライナと米欧日との信頼関係が揺らいでいることを示唆する記述が最も注目されます。昨年11月のポーランドへのミサイル落下事件についてのゼレンスキー大統領の頑《かたく》なな態度、支援武器の横流しの噂、米共和党の支援見直しの動きなどに触れつつ、ウクライナに警鐘を鳴らしておられます。

このような記事を載せたこと自体、ウクライナの敗北が迫っていることを間接的に認めざるを得なくなった表れと見ることができます。その時のために、言い逃れができる保険をかけておいたということでしょうか。

しかし、停戦になればバイデン政権にとってウクライナの価値が消滅することになります。ウクライナは、戦禍からの復興支援を世界に呼びかけていますが、欧米は関心を示さないでしょう。ウクライナに戦争を継続させることがウクライナ支援の唯一の目的であったからです。ウクライナの発展には冷たいのが彼らの一貫した態度です。

ゼレンスキー大統領もこのことを理解しているはずです。彼の役割はウクライナを使って軍事的にロシアを痛めつけることにあったわけで、その役割が終了したら存在価値がなくなります。2024年3月にはウクライナ大統領選挙が予定されていますが、ゼレンスキー大統領は戦時下だから中止することを公言していました。しかし、選挙をしないことは民主主義の原則にもとると欧米から圧力がかかったようです。たとえ選挙が実施されても、ゼレンスキーが立候補することは私には考えられません。両親はすでにイスラエルに避難していますが、豪邸を建てたとも噂されています。ユダヤ教徒のゼレンスキー大統領がイスラエルに移住する可能性は高いのではないでしょうか。

1月中旬に訪米した岸田首相は、バイデン大統領と会談を行いました。中国の覇権的行動を抑止する日米協力強化について合意したことが強調されていますが、ウクライナ復興支援に指導力を発揮するよう要請されたのではないかと懸念されます。

結果的には、ＮＡＴＯ義勇軍らが破壊したウクライナの後始末を日本にさせるという虫のいい魂胆《こんたん》なので、復興支援こそ武器支援が制約されたわが国の出番だと能天気に張り切るべきではないでしょう。しかも、武器横流しの噂が絶えない腐敗したウクライナ政権への復興支援が、国民の福利向上のために効果的に活用される保証はどこにもありません。情勢が落ち着いたら、親日的なウクライナ国民に裨益《ひえき》する日本独自の経済協力を考えるのが正道です。

アメリカはウクライナ戦争をいかに収束させるのか

ランド研究所レポートの衝撃

２０２３年２月３日の節分は旧暦の大晦日で、４日に新年が始まりました。節分とは節を分ける、つまり季節を分ける分岐点であるのですが、２０２３年の節分は世界情勢が分岐点を迎えたという意味で注目を浴びることになりました。端的に言えば、２０２２年２月24日以来継続していたウクライナ戦争がいよいよ収束に向かって進み始めたということです。その象徴となっているのが、今年１月に発表されたアメリカのシンクタンク、ランド研究所のレポートです。ランド研究所は国防総省と関わりの深いシンクタンクで、国防総省の意向を反映していると見て差し支えありません。

ランド・レポートは、ウクライナ戦争が継続すればするほどアメリカの国力の衰退に繋がるので、早期にこの戦争を終結させることが国益にかなうと結論づけました。あくまでもアメリカの国益の観点からの分析と断っており、表向きはロシアとウクライナの戦争という形を崩してはいませんが、対ウクライナ軍事支援や経済制裁によって実はロシアよりもアメリカの被《こうむ》っている損害の方が大きいことを強調する内容です。事実上ウクライナが敗北していることを認める内容であり、これ以上負け戦に関わることは得策ではないとの冷徹な提言といえるでしょう。

ウクライナが劣勢であることは、ソーシャルメディアなどではかなり以前から話題になっていましたが、やっと米国防総省も重い腰を上げ、真剣に戦争の終結を画策するようになったことを示唆しています。その動きは2022年11月14日、トルコの首都アンカラで行われたバーンズCIA長官とナルイシキン・ロシア対外情報庁長官との会談、翌日のバーンズ長官のウクライナ訪問で明らかになっていました。これに反発したゼレンスキー大統領が同日ポーランド領にウクライナのミサイルを着弾させ、あたかもロシアがポーランドをミサイル攻撃したとの偽旗作戦を敢行し、欧米の不興を買ってしまいました。以降、欧米諸国においてウクライナの独走に対する懸念が高まったのです。

もっとも、ゼレンスキーの独断でこのような挑発ができるはずがありません。ゼレンスキーを利用して対露戦争を長引かせようとしたネオコンの戦術が、現在のバイデン政権内で必ずしも支持されていないことが見てとれる事件だったと考えられます。このような背景を読み解けば、このランド・レポートの重要な点は、このまま戦争が長引けばアメリカは将来の中台戦争に効果的に介入する軍事力に欠けることに警告を発していることです。

わが国も既存メディアや自衛隊OBを含む保守系言論人は、将来の中台戦争の時にアメリカが日本を支援してくれることを担保するために、現在のウクライナ戦争でアメリカのウクライナ支援を支持し、また日本もウクライナ支援を積極的に行うことが必須であると訴えてきました。ところがランド・レポートは、ウクライナを支援すればするほどアメリカはアジアでの戦闘能力が減少する破目になると強調しているわけですから、これまでの保守層などの主張の前提が根底から崩されることになったのです。このようなアメリカのいわば戦略大転換は、バイデン大統領降ろしと連動したものとみることができます。

バイデン降ろし

バイデン降ろしの典型例がガレージゲート事件です。２０２２年8月、ＦＢＩはトランプ大統領のフロリダの私邸（マー・ア・ラーゴ）を国家機密文書不法所持の疑惑で強制捜査しました。後に文書はすでに機密解除されていたことが判明し、ＦＢＩの不法捜査が明らかになりましたが、今年に入ってバイデン大統領が副大統領や上院議員時代の機密文書を自宅のガレージなどに保管していたことが報じられました。いわゆる「ガレージゲート事件」です。そもそも、バイデンが機密文書を自宅に保管している事実はＦＢＩなどが以前から把握していたはずで、なぜ今これが明るみに出たのかが問題です。ＦＯＸニュースなど一部のアメリカメディアが報じているように、バイデン潰しが始まったと見るべきでしょう。バイデン大統領はいわば身内のＦＢＩなど司法当局から見放されたことを意味するからです。

トランプ大統領は就任以来、ＦＢＩの民主党寄りの捜査にずっと悩まされてきました。トランプ邸強制捜査以前にも、２０１６年の大統領選挙の際にロシアと共謀したとするロシア疑惑（特別検察官による捜査が行われたが最終的に証拠なしと報告）、対ウクライナ経済援助をバイデン父子の天然資源企業ブリスマに関わる汚職捜査とリンクさせたのは大統領権限の濫用であるとする疑惑（弾劾裁判で無罪）、2021年1月6日の議会襲撃を指示したとの疑惑（退任後の弾劾裁判で無罪）などにおいて、FBIがディープステートの代理人としてトランプ大統領を追及してきたことに鑑《かんが》みると、ガレージゲートは結局バイデンがDSの支持を失ったことになるわけです。

ウクライナ支援を止めるべきだとのランド・レポートも、表向きの責任者であるバイデンのウクライナ支援政策の変更を求めるものであるだけに、いよいよバイデン大統領は抜き差しならぬ事態に追い詰められてきたとみられます。

バイデンの左傾化政策

ウクライナ戦争への支援にメディアの注目が集まった結果、私たちの眼から隠されていますが、就任以来バイデン政権は「批判的人種論」教育の推進、LGBTなどの少数者擁護、規制無き移民流入、ワクチン接種反対者の言論検閲など極端な全体主義的政策を強行してきました。これらはアメリカの分断を助長し、国力を弱体化させる結果となりました。

学校教育の現場では、民主党の支援組織であるアメリカ教職員組合と全米教育協会による「批判的人種論」に基づく自虐史観教育が浸透しています。「批判的人種論」とは、アメリカは建国以来制度的に人種差別国家であるとする過激思想です。これを公立の小・中学校教育に持ち込もうとして一部父兄との間で激しい論争になりましたが、司法省はこれらの父兄の抗議活動はテロに該当するとして取り締まりを指示したほどです。

オバマ政権のＬＧＢＴの人権擁護政策を引き継いだバイデン大統領は、就任当日、大統領令によってトランプ大統領が廃止したトランスジェンダーの連邦軍への採用を復活させました。ＬＧＢＴ支援策は彼らを少数者・被害者の地位に固定化しました。

また、黒人など有色人種の犯罪を見逃すなど治安の悪化をもたらしました。将来の民主党支持者の増大を狙った中南米からの移民の無制限な流入策は、人身売買、麻薬取引、凶悪犯罪者の入国など深刻な社会不安の温床となっています。

とりわけコロナワクチン接種を連邦機関職員らに強制したほか、民主党知事の州でも州職員らに対する強制接種が強行されました。接種を拒否した職員は解雇されました。国民が疑問を持つのを回避するために、ワクチンの有効性などに疑義を呈する言論を卑劣な手段で封殺しました。民主党寄りの主流メディアは言うに及ばず、いわゆるビッグテックがこのような言論を検閲したのです。

アメリカは再生するか

しかし、アメリカ憲法を遵守《じゅんしゅ》しようとの勇気ある声を上げる愛国者たちが現れました。2022年5月にミズーリ州とルイジアナ州が連名でバイデン政権を相手取りルイジアナ州連邦地裁に提訴したのです。「自由な言論を保証する憲法修正第一条に反して、バイデン政権は大手ソーシャルメディアと共謀して、コロナワクチンの有効性への疑問や副作用問題などの議論を偽情報と決めつけすべて排除した」として、バイデン大統領、ジェン・サキ報道官、アンソニー・ファウチ国立感染症研究所長などを訴えました。裁判は現在も続行中ですが、上記のようにバイデン降ろしが開始された今、この裁判の行方が注目されるところです。

昨年の中間選挙では共和党が圧勝し、いわゆるレッドウエーブが起こらなかったことが強調されていますが、不正選挙の下でも共和党が下院で過半数を押さえたことは大きな政治的意義がありました。上記の身内からの反バイデンの動きに加え、下院共和党がバイデン政権を追い詰めて来ましたが、第2部で述べるように、下院共和党のＲＩＮＯ（名ばかりの共和党員。即ち、ＤＳの仲間）が本性を現しつつあります。昨今の下院議長解任劇とその後の新議長選投票の混乱を見れば容易に想像できます。ようやく、10月25日にマイク・ジョンソン下院議員が議長に選出されました。ジョンソン議長はトランプ支持者で、保守的なキリスト教福音派に属し、ウクライナ支援に反対の姿勢をとっています。ＲＩＮＯでない下院議長の選出は、トランプ氏の追い風になることでしょう。

バイデン「ウクライナ電撃訪問」の謎

訪問を秘密にした理由

２０２３年は欧州諸国などの首脳が相次いでウクライナを訪問し、ゼレンスキー大統領と会談してきましたが、いずれも「電撃訪問」ではありませんでした。それなのに、2月20日のバイデン大統領のキエフ訪問はなぜ電撃訪問だったのでしょうか。この理由を解明すると、ウクライナ戦争が終結に向けて動き始めたことが見えてきます。

電撃訪問の日程（いずれも現地時間）は概略次のようなものでした。2月19日未明（午前4時15分）、ワシントン郊外のアンドルーズ空軍基地を大統領専用機ではなく要人輸送用の空軍機で出発。ドイツのラムシュタイン米軍基地で給油の後、ポーランドに到着。車でウクライナとの国境の町に移動し、そこから夜行列車で10時間かけてキエフ中央駅に20日の午前8時到着。ゼレンスキー大統領との首脳会談の後、再び列車でポーランドへ移動し、20日の夜遅くにワルシャワ到着。キエフ滞在は5時間に過ぎないという実に慌《あわ》ただしい日程でした。

バイデン政権側は今回のキエフ訪問が事前に漏れないように周到な用意をしたと報じられていますが、秘密を保持しなければならなかったのは、政権内でキエフ訪問に対する反対意見が強かったからではないかと想像されます。これまでのウクライナ支援一辺倒のバイデン政権の姿勢からすれば、ウクライナ激励訪問に反対論が出るとは考えられません。とするならば、バイデンの目的は変わらぬウクライナ支援の姿勢を伝えることではなく、アメリカはこれ以上軍事支援できないので、ロシアとの停戦交渉に入るプロセスを開始するよう申し渡すための訪問であったと解釈することが可能なのです。

ウクライナ敗北による停戦には、この戦争を画策したジョージ・ソロスやビクトリア・ヌーランド国務次官をはじめとするネオコン勢力が強硬に反対することは目に見えています。だからこそ、今回のキエフ訪問は秘密裏の電撃訪問でなければならなかったのです。その傍証となるのが、アメリカ訪問を事前にロシアに通知していたことです（サリバン大統領補佐官の記者団への説明）。表向きはウクライナの制空権を保持しているロシアが米大統領に危害を加えないよう通知したという説明が可能ですが、よく考えれば辻褄が合わない点が出てきます。

そもそも、ロシアにとってアメリカ大統領に危害を加える動機は皆無です。ロシアがバイデン大統領を攻撃すれば、ただちに米露戦争につながることは間違いなく、NATOとの戦争を回避したいロシアとしては絶対に避けなければならないからです。

事前通知の目的は、ロシアが偶発的にバイデンの訪問地近郊を軍事攻撃しないようにとの安全確保上の必要に基づくものとの説明は可能ですが、目的がそれだけだったとは考えられません。ロシアに対して何らかのシグナルを送ることに意義があったと見るべきです。あえて想像をたくましくすれば、万が一バイデン大統領がネオコン強硬派の工作によって攻撃された場合、攻撃したのはロシアだとするネオコン得意の偽旗作戦に巻き込まれることがないように、あらかじめロシアに準備を促しておいたとも解釈できるわけです。

10時間の列車の旅

問題は片道10時間に及ぶ列車の旅です。なぜ、わざわざ時間がかかる列車を使ってキエフへ移動したのでしょうか。一部ではロシアの攻撃を避けるためだとの解説が行われていますが、これが矛盾することはすでに説明した通りです。往復20時間を考えれば、強行日程のため車内で睡眠など休息を取ることはあり得たでしょう。しかし、それだけでは列車にする理由は乏《とぼ》しいといわざるを得ません。

そこで考えられるのは、停戦交渉を今後どのように進めるかについての予備的会合が車内で行われた可能性です。その場合、ロシアとウクライナの関係者が参加したと考えるのが自然でしょう。他方、キエフにおいては、両首脳は中心部のミカエル寺院近辺を一緒に歩き緊密さをアピールしましたが、その際空襲警報が鳴るというオマケつきでした。空襲警報を聞いていたはずの2人はまったく気に留めていなかったのが印象的です。このように、キエフでの首脳会談はバイデン大統領が確かにキエフを訪問したとの事実を対外的にアピールするパフォーマンスだったといわざるを得ません。

ネオコンVS停戦勢力

以上のアメリカの内密の政策転換を受けて、2月21日のプーチン大統領の教書演説は抑制の利いた内容でした。ロシアのウクライナ侵攻を正当化しましたが、戦果を誇示することや予想される大攻勢に対する言及はなく、アメリカを刺激する発言はありませんでした。さらに同日、中国の王毅政治局員がモスクワを訪問し、プーチン大統領と会談しました。その後、中国は12項目のウクライナ戦争停戦案を公表したのです。

あまりにタイミングが良すぎるではありませんか。

アメリカが停戦へ舵を切った背景には、前述したランド研究所のレポートが絡んでいます。国防総省のシンクタンクともいわれるランド研究所は2023年1月、「ウクライナ戦争への支援を継続すればするほどアメリカの損害が拡大し、アメリカにとって真の脅威である中国に対抗する軍事力が毀損《きそん》される危険がある」と警告を発したのです。

このレポートがバイデン政権、とりわけ国防総省にウクライナ戦争停戦へと戦略の転換を促したという風に見られがちですが、実態はすでに国防総省内で停戦を求める決定が行われたのでランド・レポートが出たと考えるのが合理的でしょう。なぜなら、レポートが出て1カ月で大きく方向転換することは時間的に見て無理があるからです。恐らく国防総省やCIAと国務省を筆頭とするネオコン側との間で路線闘争が行われ、国防総省やCIA内の停戦派が多数を占めた結果が、今回のバイデン電撃キエフ訪問に結実したのではないかと考えられます。

米露間での停戦をめぐる水面下の交渉は、昨年11月14日のトルコでのバーンズCI

A長官（元駐露大使）とナルイシキン露対外情報庁長官との会談以来、断続的に行われてきたと見られます。この間、ネオコン側は何とか戦争を継続拡大すべく、謀略工作を行ってきた可能性があります。米露両長官の会談を受けて翌15日にゼレンスキー大統領がポーランド領内にウクライナのミサイルを着弾させたのも、またヌーランド国務次官がウクライナによるクリミア攻撃を画策したとの報道が流れたのも、この謀略の一環と見ると辻褄《つじつま》が合うわけです。

転換点はノルドストリーム破壊

今年になって、アメリカの主流メディアで相次いでウクライナが敗北していることを示唆する報道が現れるようになりましたが、これらはバイデン政権の停戦への政策転換の結果を反映したものと見られます。実は、政策転換の原因となったのが、2022年9月のノルドストリーム・ガスパイプライン爆破の成功なのです。

アメリカの著名なジャーナリスト、シーモア・ハーシュ記者はブログ（2月8日）において、前9月26日のノルドストリーム爆破はバイデン大統領の指示の下に行われたCIA、米海軍及びノルウェー海軍の共同作戦であったと暴露しました。米英などによる爆破謀略説は事件直後から流布されていましたが、今回の暴露記事はアメリカ政府の政策転換が行われたので公表されたとも考えられます。

ノルドストリーム爆破によって、露独間の緊密な関係を頓挫《とんざ》させ、EU諸国の対露エネルギー依存度を低下させることに成功しました。アメリカの強硬な態度を知って、ドイツをはじめEU諸国は対米依存度を高めざるを得ず、独自の対露外交が著しく影響を受ける結果になったわけです。ウクライナ戦争を演出したネオコンはロシアの解体を狙っていましたが、穏健派は露欧関係に楔《くさび》を打ち込むという外交的成果を追求したのです。ノルドストリーム爆破後の路線闘争で穏健派が勝利したことにより、ネオコンの米外交における影響力が著しく低下することになりました。第2部では、ネオコンの弱体化の前提に立って、議論を進めてゆきます。

第2章　亡国の岸田外交

岸田首相の「電撃訪問」は極めつきのパフォーマンス

平時の訪問

以上のようなウクライナ戦争を巡る動きに、岸田政権はどのように対処してきたのでしょうか。

3月21日、岸田首相がウクライナを電撃訪問したとメディアはトップニュースで伝えました。かねてインド訪問の帰途ウクライナを訪問するのではないかとの噂が取り沙汰されていましたが、電撃訪問したことで一斉に報道されたわけです。

そもそも秘密保持が事実上存在しない永田町界隈で、ここまで完璧に訪問予定が漏れなかったことに、私はかえって何か隠された事情があるのではないかとの疑いを持ちました。この疑いを裏書きするかのように、ウクライナ訪問が発表されても、野党やメディアはおろか、ネットからも批判の声が上がらなかったのです。ということは、従来の永田町の掟《おきて》を超えた強大な力が働いていたと容易に想像できます。この強大な力とは、言うまでもなくアメリカのバイデン政権の圧力です。もちろんバイデン大統領の個人的指導力ではなく、バイデン政権を裏から牛耳っているディープステートの意思によってすべてが計画、実行された結果といえるのです。

私は、岸田総理に近い自民党有力議員に対し、ウクライナ訪問は中止すべきであると、働きかけましたが、その効果はありませんでした。既に決められていたことだったからです。

電撃訪問にはそれなりの理由が必要です。G7の首脳として最後にウクライナを訪問した岸田首相にとっては、単なるウクライナ訪問ではなく「電撃訪問」に偽装する必要があったのだと考えられます。ウクライナを支援しているとはいえ、武器援助ができない日本の首相としては、この時期にウクライナを訪問しなければならない理由を合理的に説明できません。そこで、戦争中のウクライナを生命の危険をも顧みず隠密裏に訪問して、ゼレンスキー大統領を激励したという外部向けのパフォーマンスが必要だったのです。

日本の外務省が発表した訪問日程によると、岸田首相のキエフ滞在（現地時間）は概ね以下の通りでした。3月21日午後2時から40分、キエフ郊外のブチャで虐殺犠牲者教会への献花。3時20分から30分、キエフ市内の戦死者慰霊記念碑への献花。3時50分から7時50分まで、ゼレンスキー大統領との首脳会談や共同記者会見を行い、ワーキングディナーまでこなしたうえで共同声明を発表。戦時中であるはずのウクライナ訪問にもかかわらず、通常の訪問と変わらないスケジュール内容であったと言わざるを得ません。

もうおわかりのように、ウクライナでは東部ドネツク州で局地的な戦闘が散発的に発生しているとはいえ、ロシアとの戦争は概ねすでに終わっているのです。だからこそ、しゃもじのお土産を持参するといった緊張感に欠けたパフォーマンスを示すことが可能だったのです。

首脳会談の隠されたテーマ

首脳会談の全体像が明らかになることは当面考えられません。共同声明や共同記者会見の内容を解説することは時間の無駄でしょう。以前から準備されていた古証文《ふるしょうもん》のごとき新味のない内容だからです。では、首脳会談の目的は何だったのでしょうか。それは停戦後のウクライナ復興支援について、日本の考えを伝えたことにあります。要するに、いずれ実現する停戦後の復興支援は日本が先頭に立って協力することを約束したと考えられます。復興支援こそ、ゼレンスキー大統領が日本を頼りにしていることだからです。他のG7諸国は復興支援には関心がありません。ロシアと戦争をしているからウクライナの利用価値があったわけで、戦争が終わればウクライナへの関心は消滅します。彼らが関心を持っているのはウクライナへの投資です。投資というと聞こえが良いのですが、実態はウクライナの買い叩きです。ウクライナの肥沃《ひよく》な黒土や教会等の観光資源など、買い叩く対象には事欠きません。

さらに言えば、ポーランドなどの義勇兵を提供して犠牲者まで出したＮＡＴＯ諸国は、停戦となれば何らかの見返りをウクライナに求めることになるでしょう。ポーランドがなぜ熱心にウクライナ支援の先頭に立ってきたのか、両国の歴史が証明してくれています。西ウクライナはかつてポーランドが支配していました。領土割譲まで行かなくても、ウクライナがポーランドの影響下に入ることを狙っていると考えても、あながち穿《うが》ちすぎではないでしょう。ポーランドが民主主義を守るという建前だけでウクライナを支援しているはずがありません。

中国の和平提案

岸田首相のパフォーマンス訪問より注目すべきは、同時期にモスクワを訪問して12項目の和平提案を発表した習近平主席の動向です。岸田総理のウクライナ訪問は、習近平のモスクワ訪問を相殺する効果を狙ったものだとして、岸田首相の訪問の矮小化を回避しようと日米メディアが躍起になっている印象を受けました。普段は日本の外交にあまり関心がないアメリカの主要メディアが岸田首相の訪問をリアルタイムで大きく取り上げたことは、逆にこの訪問が世界から注目されなかったことを証明しています。アメリカがこれまで、まるで子供の成長を喜ぶような姿勢で日本を評価したことはなかったからです。

以上から容易に想像できるように、今回のウクライナ訪問の筋書きを描いたのはアメリカなのです。岸田首相はアメリカが描いたドラマの役割を忠実に演じきったに過ぎません。私の外交実務の経験からすれば、今回の訪問のオペレーションは日本の外務省だけでは不可能でした。外務省もアメリカの指示のもとで動かざるを得なかったのでしょう。インドからチャーター機でポーランド入りした岸田首相は、1カ月前のバイデン大統領電撃訪問と同じ列車のルートで10時間かけてキエフ入りしたのですから。

バイデン氏は文字通り、電撃訪問でした。なぜならアメリカ国内にネオコン過激派を中心に根強い戦争継続派が存在していたからです。バイデンはアメリカが停戦に向けて舵を切ったことを通告するために電撃訪問したわけです。アメリカは事前にロシアに訪問を通知し、万が一の事態が生じないよう万全の準備を行いました。もともとロシアがバイデンを攻撃する動機は皆無ですが、それでも反ロシア分子がテロを強行してロシアの仕業だと騒ぐ偽旗作戦を阻止するためでもあったわけです。

こう見ていくと、今回の岸田首相の訪問はバイデン電撃訪問の総仕上げという意味を持ってきます。停戦を通告したバイデン大統領、停戦後の復興支援を約束した岸田首相。岸田訪問によってバイデン訪問の趣旨が完結したわけです。

漂流する日本

停戦に舵を切ったとはいえ、アメリカはそれを具体化する地道な外交努力を怠《おこた》ってきました。対して、その間隙を縫《ぬ》って従来のアメリカの影響圏に仲介者として躍り出てきたのが中国です。イランとサウジの国交正常化を仲介したのがその象徴といえます。いわゆるグローバル・サウスのアメリカ離れを加速させているのです。原油のドル決済離れは、ドル基軸通貨体制を事実上崩壊させました。これまでのアメリカの権威が音を立てて崩れていますが、バイデン大統領は何も手を打っていないのです。

というのも、ＤＳはアメリカの国家としての権威が崩壊するのを、むしろ歓迎している節が見られるからです。ＤＳの世界統一にロシアと共に立ちはだかって来たアメリカの建国精神の衰退ですから。

岸田首相がアメリカの路線変更を知らないはずがないと思いたいところですが、どうも岸田首相はアメリカの動向を詮索することすら放棄し、ひたすらアメリカの指示に従っているように見受けられます。中国が将来、台湾に侵攻して日本有事になった時に、アメリカの日本に対する全面支援を期待しているのでしょう。何も考えないことをもってよしとする岸田流安全保障哲学が果たして実を結ぶかどうかは大いに疑問です。しかし、多くの国民は岸田首相の姿勢を支持しているとしか考えられません。国民全体が何も考えずにただひたすらアメリカに捨てられないように縋《すが》りつくという、いわば1億総無思考に陥《おちい》ってしまっているとすら思えるのです。その結果は、２０２４年に現実となって表れることになるでしょう。

岸田外交はアメリカが決めている

ウクライナ支持国は少数派

バイデン政権がウクライナ戦争勃発以来喧伝している民主主義陣営対権威主義陣営の戦いという善悪二元論に、世界はすっかり騙されてきました。バイデン政権はウクライナ支援は民主主義国の証であり、支援をしない諸国は民主主義国とは認めないという高飛車な態度を1年半も続けてきました。しかし、グローバルサウスと呼ばれる諸国は決してロシアを頭から非難していないのです。国連総会などにおけるロシア非難決議案に対して、賛成しない票は全体の2割強で約50カ国にも上ります。わが国の報道だけに接していては、対露非難に批判的なグローバルサウスの行動が明示的に見えてきません。現実は、ウクライナ戦争支援を一方的に推進しているG7の方が世界の少数派なのです。

流出した米機密文書によれば、グローバルサウスの雄であるインドは多国間交渉の場ではロシアを支持する意向をロシアに伝えたとされています。3月にインドで開催されたG20外相会談においては、ロシアを非難する共同文書の採択に至りませんでした。このような傾向に焦ったバイデン政権は、とりわけ国連総会決議でロシアに同情的なアフリカ諸国（54カ国のうち約半数が賛成せず）の説得に力を入れています。今年に入ってから、ハリス副大統領、ブリンケン国務長官、イエレン財務長官などをアフリカ諸国に派遣し、取り込みを図ってきました。

岸田総理は2023年4月29日からエジプト、ガーナ、ケニア、モザンビークを訪問しましたが、私はこの日程を見て、訪問国の選択に必然性がないとの印象を拭《ぬぐ》えませんでした。しかも、訪問国のいずれもG7首脳会議に招待していないのです。グローバルサウス対策としてアフリカにも一定の配慮をしたとのアリバイづくりといえなくもありませんが、穿《うが》った見方をすれば、アフリカ取り込みに力を入れているバイデン政権の指示によってこれら諸国を訪問せざるを得なかったものと考えられます。

岸田総理のアフリカ歴訪はバイデン政権の指示によるものでしたが、アメリカの評価は高くはありませんでした。例えば、エジプト出身の米デンバー大学のアブドラボ客員准教授は、岸田総理はこれら訪問国から一定の支持を得られるかもしれないが、中露がアフリカで影響力を増大させている現状に鑑みれば、「アフリカにおいて、日本が中露に対抗しうる選択肢になるとは考えられない」と突き放した見方をしています（5月3日付産経新聞）。はっきり言えば、今回のアフリカ訪問は失敗だったと言っているに等しいわけです。成功の見込みが薄かったにもかかわらず、このような訪問をせざるを得なかったことに、岸田総理の置かれている立場を窺《うかが》い知ることができます。つまり、岸田外交はアメリカが決めているといっても過言ではないのです。

民主主義国は専制主義国

G7諸国は長らく世界の先端を行く民主主義諸国と見なされてきました。G7での議論が世界の大きな方向を決めていたのです。ところが、先進民主主義国であるはずのG7諸国が実は民主主義国ではなく、民主主義の仮面をかぶった専制主義国であったことが、とりわけ2020年の米大統領不正選挙、コロナ・パンデミック騒動、そして今回のウクライナ戦争を通じて世界に明らかとなりました。前代未聞の不正選挙で大統領にしてもらったバイデンと不正選挙に目を瞑《つむ》り続けたG7政府、健康に有害なワクチンを国民に強制したG7政府、コロナウイルスの人工起源説をあくまで認めなかったWHOとG7政府、プーチン巨悪説を連日垂れ流したG7政府とメディアの姿勢にそれが如実に表れています。

民主主義国であるはずのG7諸国がなぜ、独裁的専制主義国の正体をさらけ出したのでしょうか。その原因を知るには、100年前にさかのぼる必要があります。すでに何度も指摘してきましたが、1928年にエドワード・バーネイズという、ウィルソン大統領直属の広報委員会（ドイツとの戦争に国民を洗脳した謀略機関）の主要メンバーが、民主主義国における選挙民の持つべき意見を権力側に好ましい方向に洗脳することによって、専制支配が可能なことを自著『プロパガンダ』（成甲書房）内で公言しているのです。

彼はアメリカには選挙民の行動を気付かれずにコントロールする「目に見えない統治機構」が存在し、それがアメリカの真の支配者であると断言しました。このアメリカの支配構造は今日まで継続しています。「目に見えない統治機構」というのは今日のディープステートにほかなりません。

問題は、これほどまでに一般国民を愚弄する書籍でありながら、正統派歴史教科書やDS系言論人は一切触れようとしないことです。その理由は簡単で、大衆が彼らを信頼のおけるリーダーだと錯覚しているからです。バーネイズによれば、大衆が物を考えるにあたっては、自らの考えよりも衝動や習慣や感情が優先されます。その大衆が恰《あたか》も自分の意見であると錯覚して、決定を下すきっかけは「信頼のおけるリーダー」の行為であり、大衆は彼らの行為を手本とするのだと切り捨て、これは大衆心理学における原理原則であるとバーネイズは大見得を切っているのです。

「信頼のおけるリーダー」には政治家や言論人などの個人に加え、テレビ、ラジオ、新聞などが入ります。わが国においても「信頼のおけるリーダー」がテレビなどで国民を洗脳しているわけです。彼らは日本の民主主義体制における専制主義を実践しています。国民はいわゆる大衆心理学の原則に雁字搦《がんじがら》めになっています。国民が民主主義の欺瞞《ぎまん》に気づいていない事実こそ、目に見えない統治機構による専制支配が機能していることを証明しています。

ところが、この専制支配が、ついにほころび始めたのです。第2部で、詳しく論じます。

世界のタブーが暴かれた

以上の論考は以前であれば、陰謀論や歴史修正主義（リビジョニズム）として誹謗中傷の対象になりました。しかし、現在は上記に見たように巨大な陰謀や歴史の歪曲が、私たちの目に見える形で姿を現しています。トランプ大統領やプーチン大統領のおかげで、私たちはこれらの陰謀を見破ることができるようになりました。トランプ氏は2018年の中間選挙運動の際、アメリカの官僚機構に巣くうディープステートの代理人の存在を公言しました。また、翌年の国連総会でアメリカは決して社会主義国にならないと宣言し、各国に対して主権を維持し国民を宝として大切にするよう呼びかけました。プーチン大統領はボルシェビッキ革命を否定し、世界の左傾化に警告を発しています。究極の専制主義である共産主義は伝統的価値を否定し、家族を崩壊させ、国民を国家が所有することになるとして世界に警鐘を鳴らし続けているのです。

ＤＳはメディアを通じて、陰謀論者やリビジョニストを口汚く中傷してきました。飽くなき反トランプ報道や反プーチン報道を見れば納得がいくはずです。しかし、メディアの欺瞞がばれてしまった以上、彼らは言葉から暴力に手法を転換しつつあります。第３次世界大戦、世界最終戦争という最後の手段に訴え始めたのです。２０２３年５月９日の対独戦勝記念日のプーチン演説は、ロシアがＧ７との全面戦争に備えていることが見て取れます。

Ｇ７広島サミット後の世界

主導権なき岸田総理

２０２３年５月21日に終了したＧ７広島サミットの評価について、保守言論人の多くが「岸田総理はよくやった」「Ｇ７サミットは成功した」などと持ち上げていたことが大変気になりました。サミットでは岸田総理の存在感が見えてこなかったからです。ウクライナ戦争さなかのサミットでしたから、ウクライナ戦争についてどのようなメッセージを出すかが世界の関心事でした。ところが、発出されたメッセージには何ら新味はありませんでした。

岸田総理は会合の議長を務めましたが、ウクライナ戦争をめぐる議論の中心的役割を果たしたわけではなかったのです。岸田総理には酷《こく》な言い方かもしれませんが、岸田総理はウクライナ戦争について日本の国益の観点からどう対処するべきかという根本的な問題を完全にスルーしていたのです。ウクライナへの武器援助ができないというハンディキャップを負っているとはいえ、日本の国益から独自の貢献をする余地はあったはずです。その点を無視した以上、NATO加盟国でもある他の参加国相手にウクライナ問題で主導権を握れるわけがありません。

TV映像で見る限り様々な行事に岸田総理のプレゼンスは見られましたが、多くは広島を観光宣伝するシーンでした。原爆資料館の訪問も、原爆慰霊碑への献花も、宮島訪問も広島の宣伝に過ぎなかったとの印象を強く持ちました。常識的に考えれば、自分の地元でサミットを開催すること自体、岸田総理の人柄を窺《うかが》う材料になります。広島出身として世界に核廃絶を訴えたいのなら、広島ではなく長崎でサミットを開催するべきだったでしょう。それでこそ私情を超えた大政治家と言えるのです。

日本の総理にとっては、日本自体が地元のはずです。ですから、日本のどこでサミットを開催しようとも、日本を代表して開催したことになるわけです。重要なのは場所ではなく会議の中身です。原爆都市広島のインパクトをいかにアピールするかにこだわり過ぎたために、肝心の会議の中身が疎《おろそ》かになってしまった。さらに言えば中身にタッチさせてもらえなかったとの印象を拭《ぬぐ》えません。

グローバルサウスが主役

サミットの注目を集めたのはＧ７諸国ではなく、ゲスト参加したグローバルサウスの出席者たちでした。意義あるサミットの討議は実質的に20日から21日に集中したといえます。20日の夕方にウクライナのゼレンスキー大統領が突如訪日し、会議に参加しました。議長である岸田総理は蚊帳《かや》の外であったことが、後に放映されたＮＨＫ番組からも裏付けられました。

ウクライナの大統領府長官への単独インタビューのなかで、長官はゼレンスキーのサミット参加についてはアメリカから打診があり、フランスとイギリスの協力の下で実現したと語ったのです。残念ながら、岸田総理の名前は出てきませんでした。ＮＨＫは総理が置かれていた状況にコメントすべきだったでしょう。

3月に岸田総理がウクライナを訪問した際は、ゼレンスキー大統領のG7出席はオンラインになると発表されていました。議長国の知らない間に、対面参加が実現したのです。ゼレンスキー大統領はサウジアラビアのジェッダからフランス政府専用機で広島まで運ばれてきたのです。岸田総理がどの時点で対面参加を知らされたかは審《つまび》らかでありませんが、総理は世界政治の力関係を改めて理解されたことでしょう。

ゼレンスキーはジェッダでアラブ連盟の会合に出席して、ウクライナへの支持を訴えました。アラブ連盟の加盟国は概してロシア寄りです。彼らの関心をウクライナに向けたいという切実な思いがあったのでしょうが、結果的にはゼレンスキーの目論見は成功しませんでした。それもあって、広島ではどうしてもグローバルサウスの前向きの反応を引き出したかったのだと思われます。

ところが、広島でもグローバルサウスを味方につけることに失敗しました。会場ではインドのモディ首相の隣の席が用意されましたが、モディ首相から「ウクライナ戦争は人道問題なので早く停戦すべきだ」と諭《さと》される始末でした。また、ブラジルのルラ大統領との会談も予定されていましたが、ゼレンスキーが現れずキャンセルされました。ブラジルは停戦仲介に尽力しており、G7会合を通じゼレンスキーはグローバルサウスのウクライナへの厳しい態度を実感したものと思われます。

停戦を求める動きは、全世界的に拡大しています。中国の停戦案は早くから知られていますが、最近ではアフリカ諸国が積極的に動き始めています。南アフリカは停戦の実現に関与すべく、6月中旬にロシアとウクライナへアフリカ諸国の代表団を派遣することになったと発表しました（2023年6月7日付産経新聞）。そこで、アメリカやロシアのサミット評価が気になるところです。

米露それぞれの評価

5月29日の産経新聞が、アメリカとロシアの評価を対比しつつ広島サミットを纏《まと》めています。それによると、ロシアの評価は「欧米側の利益のみを追求するG7は世界の代弁者たりえない」に尽きます。多くの非欧米諸国の立場はG7とは異なると論じて、G7の世界に対する影響力が低下していることを強調しています。グローバルサウスの参加問題については、対露制裁に加わっていない国々を説得しようとするのと同時に、Ｇ７が米国の同盟国だけの会合ではないと見せかけようとしたと論じています。モディ首相が対話によるウクライナ戦争の解決を求めた点も取り上げ、グローバルサウスの多くはインドと同じ立場であると、彼らの姿勢を変えることに成功しなかったことを強調する内容です。

これに比べて、米国のメディアの反応は、関心の対象がウクライナ戦争ではなく中国問題であったことを強調する内容です。この違いは、わが国にとって極めて重要なシグナルと考えてよいでしょう。覇権拡大を目指す中国が議論の中心となり、中国への対応をめぐり日本の主導的役割や防衛力強化を求める声が出ていると指摘しています。要するに、中国に対処するには日本の役割が不可欠と日本を持ち上げているのです。「中国と北朝鮮を除き、多くの国は日本の安全保障上の役割拡大を恐れていない」とも論じていますが、ロシアも恐れていないと匂わせている点が微妙に感じられます。

これはあくまで両国のメディアに現れた論調ですが、両政府の見解とおおむね一致しているとみてよいと思われます。

台湾有事より日本有事

Ｇ７サミット後の関心は次の戦争はどこで起こるかということです。中東については、２０２３年5月28日のトルコ大統領選の決選投票がエルドアン大統領の勝利に終わり、選挙結果をアメリカも承認してトルコ情勢は落ち着きを取り戻しました。また、中国が中東和平に関して活発な外交を続けています。そうすると、次の火種は東アジアが脚光を浴びることになるでしょう。もっとも、10月7日にハマスがイスラエルを奇襲攻撃し、イスラエルがガザ制圧のために戦争を行うと宣言したため、中東が突然、脚光を浴びるようになりました。詳しくは、第２部で論じます。

次は台湾有事だと日本の保守陣営が身構えそうですが、私は台湾有事は起こらないとみています。なぜなら、台湾は中国のものであることが、１９５０年以来決まっているのです。いわゆるアチソン国務長官の「台湾韓国切り捨てスピーチ」です。アチソンは台湾と韓国はアメリカの防衛線の外であることを明言しました。アチソンラインが修正されたとの公式発表はありません。ならば現在も有効であるとみるのが自然でしょう。

ということは、習近平にとって台湾を武力で解放しても、毛沢東を超える偉大な中国皇帝にはなれないということです。なれるとすれば、日本に勝利したときです。毛沢東も、さらに言えば元《げん》帝国もなしえなかった日本征服を成し遂げた英雄として歴史に名を残せるでしょう。

どのように日本に戦争を仕掛けるか。国連敵国条項の援用です。日本の軍備増強が中国の安全保障上の脅威であるとして、敵国条項を発動すればよいわけです。国連とは第2次世界大戦の「連合国」であることを忘れてはなりません。総会決議で敵国条項は死文化されましたが、法的拘束力はありません。

敵国条項は生ける亡霊です。次にどのような場合に中国が敵国条項を援用する可能性があるのか、検討します。

日本有事が近づいた

日本の分岐点

２０２３年7月11日から12日にかけ、リトアニアの首都ビリニュスでＮＡＴＯ首脳会議が行われました。日本はＮＡＴＯのメンバーではありませんが、「アジア太平洋パートナー」として昨年に引き続き岸田総理も招待されました。日本との間では、ＮＡＴＯとの安全保障協力を強化する「国別適合パートナーシップ計画」が発表されました。計画には、サイバー防衛、宇宙安全保障、偽情報への対処などへの協力が盛り込まれましたが、この計画を日本・ＮＡＴＯ間協力の具体的成果ともてはやすメディアは危機意識に欠けています。

日本が最も重視していたＮＡＴＯの東京事務所設置問題は、中国を刺激するのを回避したいフランスのマクロン大統領の強い反対もあって、結論が先送りされました。日本としては、ＮＡＴＯ事務所が存在していれば、中国が日本を攻撃することへの抑止力となるとの読みがあったと推察されますが、この見通しは甘かったと言わざるを得ません。

深読みすれば、マクロンが反対してくれたおかげで、中国は日本攻撃の一つの根拠を失ったと考えることができるのです。つまり、ＮＡＴＯ事務所が設置されていれば、中国としては日本とNATOとの軍事協力が危険な水準にまで高まり安全が脅《おびや》かされたとして、国連憲章の敵国条項に従い日本を軍事攻撃する口実に使うことが可能となったわけです。しかし、NATO東京事務所が存在していなければ、中国は敵国条項を援用する有力な根拠を失うことになります。

国連憲章にある敵国条項は、1990年代に国連改革の一環として国連総会決議によって無効化されましたが、決議には法的拘束力がないので、国連憲章の条文はそのまま残りました。敵国条項の発動が禁止されたわけではないのです。NATO東京事務所ができたとしても、日本は正式メンバーではないので、日本が攻撃された場合にNATO全体に対する攻撃とはみなされないことになります。もし将来中国が日本を軍事攻撃しても、NATOは日本を守る義務を負わないことになります。

ウクライナ加盟と日本の義務

今回のNATO首脳会議の最大の関心は、ウクライナ戦争にどう対処するかでした。

ゼレンスキー大統領は首脳会議前にはパフォーマンスを連発し、ウクライナのNAT

Ｏ加盟へ向けてできるだけ前進することに期待を表明していました。

しかし、ゼレンスキーがこれほどまでに期待したＮＡＴＯ加盟への道筋は、結局明確に示されることはありませんでした。ゼレンスキーも最後は生ぬるい結論に感謝せざるを得ないまでに追い詰められていたといえます。

発表文を読む限り、ＮＡＴＯ諸国はウクライナの加盟を事実上拒否したことが透けて見えてきます。ウクライナへの姿勢をめぐり、ＮＡＴＯ内も割れていることが改めて暴露されたといえるでしょう。日本の既存メディアは、加盟時期は明示しなかったが、様々な支援策を講じることによって将来実現するウクライナの正式加盟の時まで支えていく姿勢を鮮明にしたと、むしろ肯定的な評価を行っています。

ところが、ウクライナにはＮＡＴＯ加盟の基本的な条件がそろっていないのです。それは国のガバナンスの不透明さ、すなわち腐敗の深刻さです。サリバン米大統領補佐官は、ＮＡＴＯ側がウクライナの取り組むべき改革の道筋を示すことになると強調しました（7月13日付産経新聞）。ゼレンスキーがどれほど涙ぐましいパフォーマンスを見せても、米国やドイツは加盟に慎重な姿勢を崩さなかったのです。

これら諸国はロシアとの全面対決になることは望んでいません。表向きのウクライナ支援の姿勢とは裏腹に、ウクライナよりロシアの方が重要であるとの腹の内が窺《うかが》えました。ゼレンスキーも改めてNATOの本音に触れたのでしょう。NATOの支持を繋ぎ止めるために首脳会議の結果に満足の意を表明せざるを得なかったのです。

ウクライナが望む安全保障を約束したのは、NATOではなく同地で開催されたG7首脳会議でした。この点にもNATOの内部対立が垣間見えます。ウクライナの安全保障への岸田総理の責任が明確にされる結果にもなりました。軍事支援ができない日本は、どのようにしてウクライナの安全を保障することができるのか。効果的な保障を行うことはできません。ピエロ役に徹する以外に方法はありません。

日本の安全は風前の灯火

今回の首脳会議ではスウェーデンのNATO加盟が承認の運びとなりました。これまで慎重な姿勢を崩さなかったトルコが容認に転じたためです。水面下の取引の実態は不明ですが、フィンランドの加盟とあわせて考えれば、NATOによるロシア包囲網が事実上完成したといえます。ロシアとの全面対決を避けたいとする一方、NATOは拡大を進めているのです。岸田総理はこの矛盾にどう整合性をつけるのでしょうか。

岸田総理はG7議長として、「力による現状変更に反対する」と大見得を切ってきました。しかし、東西冷戦後、ユーゴスラビア、アフガニスタン、イラク、リビア、シリアなど、力による現状変更の先頭に立ってきたのは実はNATOだったのです。今さらロシアのウクライナ侵攻は「力による現状変更だから認められない」という詭弁《きべん》を弄《ろう》することは茶番以外の何物でもありません。

自らの行いを隠蔽《いんぺい》する効果的手段の一つが、いわゆる「偽旗作戦」方式です。DSはNATOのそれまでの現状変更の悪事を隠すために、ロシアの現状変更行為をことさら取り上げ、世界世論にロシアを非難させようと試みてきました。しかし、いわゆるグローバルサウスの出現によって、ロシアを支援する諸国が実は多数であることが明らかになってきたのです。NATOもG7も世界の少数派に転落しました。このような大地殻変動が起きている中でのNATO首脳会議だったのです。ウクライナ支援よりもNATOの生き残りの方が深刻な課題であったことが窺えます。

岸田総理は欧州の安全と東アジアの安全は不可分である点を強調されたようですが、残念ながら欧州はそのようには考えていません。このやり取りを見ていて、1987年、レーガン時代のＩＮＦ（中距離核戦力）交渉が思い出されます。当時のソ連が欧州を射程に収める中距離核を配備して米欧の分断を図りました。米欧側は欧州にアメリカのパーシングⅡ中距離ミサイルとトマホーク巡航ミサイルを配備することで対抗しました。種々のやり取りの結果ソ連は中距離核ミサイルをウラル山脈以東に移動させることで、米欧は中距離核の配備をやめることになりました。

これに異議を唱えたのが、当時の中曽根首相です。1983年にアメリカで開かれたウィリアムズバーグＧ７サミットで、ソ連の核ミサイルに対抗して日本の防衛を強化することが合意されました。確かに、ウラル以東に配備された中距離核ミサイルは日本の安全を直撃します。欧米の安全と日本の安全が不可分であることを強調することによって、日本は防衛力の強化を約束したのです。

この後、ソ連の指導者になったグローバリストのゴルバチョフ書記長の下で、1991年末にソ連邦は解体されました。その後、エリツィン政権を経てプーチン大統領のロシアが出現しました。プーチンはロシア愛国主義者で、ユダヤ革命家政権であったボルシェビッキ革命を否定し、ロシア国民の支持を得ました。今日のウクライナ戦争をめぐって、愛国主義者プーチンの失脚を狙うDSがウクライナを使ってロシアに対する戦争を仕掛けたことについては、NATO諸国の共通の理解になりつつあります。

２０２３年7月11日はプーチン大統領にとっても分岐点となりました。ウクライナのNATO加盟は阻止できたとはいえ、NATOのウクライナ支援が継続することが確認されたことは、中長期的にロシアの安全に深刻な影響を及ぼすことが否定できないからです。プーチンはすでに左傾化した欧米との全面対決を宣言しています。詳しくは第2部で論じます。

ウクライナ復興支援の罠

林外相の異常な行動

ウクライナ戦争が終結に向かっている現在、欧米のウクライナ軍事支援国の関心は、既存メディアが報じているウクライナによる反転攻勢の帰趨《きすう》ではありません。反転攻勢というと聞こえがよいですが、実態はロシア軍が占領しているウクライナ東南部地域における散発的な戦闘行為にすぎないのです。彼らの関心は反転攻勢にはありません。もっぱら、復興支援なのです。しかも、戦闘で破壊されたウクライナの経済社会インフラを再建することではなく、これまでに援助してきた軍事資金の回収です。

岸田総理は武器援助が事実上できなかった負い目を感じておられるのか、復興支援こそ日本の出番と言わんばかりの張り切りようです。3月21日にウクライナを電撃訪問された目的は、復興支援を引き受けるという約束だったと考えられます。岸田総理のウクライナ訪問の1カ月前に、同じくウクライナを電撃訪問したのがアメリカのバイデン大統領です。バイデン大統領はゼレンスキー大統領に対して、アメリカはこれ以上軍事援助を継続することができないので停戦を考えるようにとの、アメリカの路線転換を伝えました。それを受け、岸田総理は戦争終結後の復興支援の約束を伝えたということです。

以後、日本政府は復興支援に前のめりになってしまい、東京において関係者による復興支援会議を開催するほどの熱の入れようでした。最近も、岸田総理はゼレンスキー大統領との電話会談で復興支援を再確認したほどです。

それに念を押す形になったのが、林芳正外務大臣（当時）のポーランド訪問発表です。2023年9月1日の記者会見で、林外相はヨルダン、エジプト、サウジアラビア、ポーランドを訪問すると発表しました。ポーランドでは、要人との会談でウクライナ支援について意見交換し、「二国間関係の強化を図る」と強調した由です（9月2日付産経新聞）。なぜ、ウクライナではなくポーランドとの関係強化を図る必要があるのでしょうか。さりげない一文に現在のウクライナ戦争の正体が隠されているように思えます。現在、戦闘に従事しているのは、ポーランドを中心とするNATO義勇軍だとの、SNSで流布されている情報を裏書きしているからです。

9月8日にポーランドを訪問した林外相は要人との会談後、9日にウクライナを電撃訪問しました。企業関係者が同行した今回の訪問が、電撃訪問であるはずはありませんが、ゼレンスキー大統領などとの会談では、日本が官民挙げてウクライナ復興を支援する旨が伝達されました。復興支援の内容は、①地雷対策・がれき除去、②各種基礎インフラなどの生活再建、③農業を含む産業振興、④統治能力強化の4項目を中心とし、来年初めには「日ウクライナ経済復興推進会議」の開催を確認した由です（9月10日付読売新聞）。しかし、このような支援は復旧支援であり、欧米諸国がもくろんでいるウクライナ解体とはかけ離れています。彼らはウクライナの財産を切り売りして、戦争資金を回収しようとたくらんでいますが、ウクライナ買収資金は日本が引き受けることになっているわけです。

復興支援は日本のお家芸か

岸田総理の最近の言動からは、復興支援こそ日本のお家芸だから任せてくれと言わんばかりの自信のほどが伝わってきますが、そんなに浮かれていて良いのでしょうか。私には、1991年1月の湾岸戦争の前例が思い出されてなりません。当時の日本はハト派を自任する海部政権でしたが、戦闘終了後に自衛隊の掃海艇をイラク周辺海域に派遣するか否かで政局に発展するかもしれないほどの大事件が起こりました。

アメリカは日本やドイツに、軍事プレゼンスを示すべしとの強い圧力をかけました。

アメリカのメディアを中心に、ドイツの対イラク技術援助がイラクの軍事力向上に貢献したとの言いがかり的なドイツ非難キャンペーンが展開されたのです。当時の村田良平駐米大使は「8月下旬から9月上旬にかけて、日本とドイツの対応に対しすでにかなり激しい批判が起こっていた」と述懐されていますが（『村田良平回想録』ミネルヴァ書房）、結局ドイツは戦費66億ドル、日本は戦費90億ドルと周辺諸国への経済援助40億ドル計１３０億ドルを負担させられました。日本とドイツという世界第2と第3の経済大国が批判の対象になりましたが、両国は軍隊の派遣の代わりに金で済ませたと軽蔑されることになったのです。日本とドイツにあえて軍の派遣を求めるよりも、戦費を負担させたほうがアメリカにとってメリットがあると考えたのかもしれません。メディアに騒がせて、アメリカが目指す方向に世論を誘導するという彼らの伝統的手法を見抜く見識が求められているといえます。

「僅か２００～３００人の将兵を派遣した国々は、実質貢献ゼロに等しかったのに、『良い子』になり、増税までして巨額を拠出した日本が囂々《ごうごう》たる非難の的になったという事実は、客観的に見て極めて不公平であり、全く割に合わない立場に立たされた」

（『村田良平回想録』）のです。その間、日本は屈辱的な仕打ちをクウェートから受けることになりました。アメリカのクウェート大使館は関係国に感謝の念を伝える全面広告をワシントンポスト紙上に掲載しましたが、ドイツは入っているのに日本は抜けていたのです。この屈辱的経験が国家の体験として引き継がれてこなかったことが、今日のウクライナ復興支援に秘められた罠を見抜くことを不可能にしているのです。

ウクライナを解体せよ

歴史は繰り返します。なぜなら、湾岸戦争を背後から操った勢力と、今日のウクライナ戦争の背後にいる勢力とは同じ連中だからです。ウクライナ戦争をめぐり、事態は急展開しています。戦争の前面に立っていたウクライナのレズニコフ国防大臣が腐敗を理由に更迭され、後任にクリミア系タタール人のルステム・ウメロフ国有財産基金総裁が就任することになりました。国防大臣に軍人でない人物がついたことは、停戦後の事態を睨《にら》んでのことと推察されます。2024年3月に予定されている大統領選挙までゼレンスキーが大統領に留まっているかどうか、極めて不透明な状況なのです。

さらに、ドニプロペテロフスク州知事だったイーゴリ・コロモイスキーが逮捕されました。コロモイスキーはウクライナ・イスラエル・キプロスの三重国籍者でウクライナ有数の富豪（オルガルヒ）でした。2014年のマイダン・クーデター後のネオコン政権の重鎮として、知事時代は私兵集団のアゾフを使って東部ウクライナにおいてロシア系住民を虐殺していた人物です。これらの一連の動きには、バイデン父子のウクライナとの癒着を取引に使おうとしている可能性を日本の既存メディアが報道したことから考えれば、ウクライナ政府内が大混乱していることは否定できないでしょう。

このような動きを背景に考えれば、2024年3月の大統領選挙において、ゼレンスキー・ネオコン政権に代わり、ウクライナ国民の利益を代表する政権が生まれる可能性が高まったと言えます。国民のための新政権は、戦争復興という名の国土売却に待ったをかけることが予想されます。

日本のみが非難の的になる可能性

戦争において多大な人的損害を被ったことに加え、戦争が終結すれば国土を切り売りするという屈辱的な復興プロジェクト（買収プロジェクト）に警戒の声が高まるでしょう。ウクライナ国民の批判が買収資金を引き受けている日本に向けられても不思議ではありません。復興という名のもとに、ネオコンの息のかかったハゲタカ連中がウクライナ国民の財産を買いあさり、ウクライナが解体されようとしている状況を見て、買収資金を用立てている日本が、ウクライナ国民から厳しく批判されることが懸念されます。結局、戦闘による損害の痛手はウクライナ国民の記憶から徐々に薄れるのに反比例して、ウクライナを売り渡した真の元凶である日本だけが突出して、ウクライナ国民の非難を浴び続ける危険があるのです。

東西冷戦終了後、ネオコンが始めた戦争の歴史を教訓として、彼らの甘言に騙されないことが重要です。ウクライナ戦争を回顧すれば、歴史が繰り返されていることがよくわかります。以下、第2部では、2024年以降の世界を展望します。

第2部

2024年はディープステートの崩壊が始まる

第1章　ロシアと北朝鮮の首脳会談を読み解く

ロシアは北朝鮮を同盟国にした

２０２４年はこれまでと全く異なった年となるでしょう。その理由は、２０２３年のウクライナ戦争の敗北を通じて、過去１００年にわたり世界を裏から支配してきたディープステート（ＤＳ）の凋落《ちょうらく》が進行し始めたからです。それを象徴的に示したのが、ＤＳが北朝鮮の後ろ盾としての役割を放棄したことです。

本書執筆時である２０２３年9月にそれまでの世界の秩序を根本的に転換させた大事件が起こりました。その大事件とは9月13日に行われたロシアのプーチン大統領と北朝鮮の金正恩総書記との極東ロシアにおける会談でした。

既存メディアのみならず、いわゆるネット上の保守系言論人たちも、この会談の意義を正しく理解した評論はこれまでのところ表れてきていません。多かれ少なかれ、ウクライナ戦争に窮したプーチン大統領が、膝を屈してまで北朝鮮に弾薬提供を求めた、一方金正恩はその見返りにロシアの最新軍事技術の提供を求めた、また金正恩は何かと口をはさむ後見人を自任している中国の傲慢な態度を牽制するためにロシア・カードがあることを示した、といった皮相的な分析に終始していました。

少し考えればすぐわかるはずですが、もし弾薬提供を巡って北朝鮮がロシアに対して優越的地位にあるならば、プーチン大統領自ら北朝鮮を訪問するのが筋です。しかし現実は、長時間かけて特別列車で金正恩総書記がロシアを訪問したのです。プーチン大統領は金正恩総書記を手厚くもてなしましたが、弾薬欲しさの故ではなかったのです。DS（以下同じ）の庇護下から脱して、ロシアの同盟国となることを選択した北朝鮮の指導者を歓迎したというのが真相です。そのことは、金正恩総書記がウクライナ戦争におけるロシアの役割を「偉業」とまで称賛したことに如実に表れています。

このような発言は、外交上の一般的な友好的レトリックの枠を超えています。金正恩はウクライナ戦争を戦っているロシアこそ、世界の平和のために貢献しているのだと、世界に向けて発信したと見ることができるわけです。

以上の説明だけでは、なかなか腑に落ちない方も少なくないと思います。金正恩総書記の極東ロシア訪問の意味を正しく理解するためには、北朝鮮建国の歴史にさかのぼる必要があります。北朝鮮はアメリカのDSが世界のトラブルメーカーとして活用するために造った国なのです。まず、この点を正しく認識しないと、今回のプーチン・金正恩首脳会談の意義を誤解する危険があります。

仕掛けられた朝鮮戦争の開戦

北朝鮮のこれまでの立ち位置を理解する絶好の歴史的事件が、1950年6月に発生した朝鮮戦争です。1950年1月、アメリカのアチソン国務長官はナショナル・プレスクラブでアメリカの極東政策について演説しましたが、これが有名なアチソン・ドクトリンと呼ばれる宣言でした。結論を一言でいえば、「台湾と韓国はアメリカの防衛線の外にある」という驚くべき内容でした。つまり、アメリカは自由と民主主義国を標榜していた蔣介石の台湾と李承晩の韓国の安全保障に関心がないと両国に引導を渡したのです。要するに、中華人民共和国と北朝鮮に対し、台湾と韓国を侵略しても良いと餌を蒔いたわけです。

ところが、毛沢東の中国は台湾に侵攻しませんでした。この点は、後で論じる予定ですが、今日アメリカや日本が騒いでいる台湾有事の行方に係るものとして注目されてしかるべきでしょう。

この戦争への餌に飛びついたのは北朝鮮の金日成でした。北朝鮮軍は怒濤《どとう》の如く38度線を越えて韓国に攻め込み、釜山を落としました。勝負あったと思われたこの時に国連軍が介入してきたのです。国連軍が編成されたこと自体、教科書的な歴史観からは理解不可能な出来事でした。今に至るも、正統派歴史学者は国連軍成立の謎を解明してくれていません。驚くべきことに、ソ連のスターリン首相がソ連代表に安保理を欠席させることで協力したのです。常識的には考えられないのですが、北朝鮮の後ろ盾であったソ連が、なぜ北朝鮮に不利な国連軍編成に協力したのか、そのわけを、長くソ連の外務大臣を務めたアンドレイ・グロムイコが自らの回想録（『グロムイコ回想録』読売新聞社）の中で明かしてくれています。

グロムイコが国連軍結成安保理決議に拒否権を行使すべきだとスターリンに直談判したのに対し、なんとスターリンは「自分の考えでは、ソ連代表は安保理会議に出席すべきではない」と答えたというのです。グロムイコは再考を促したのですが、スターリンは考えを変えませんでした。このエピソードから窺《うかが》えることは、当時スターリンは北朝鮮の後見人ではなかったということです。では、だれが後見人だったのでしょうか。ディープステートだったのです。ということは、スターリンでさえも、DSの意向には逆らえなかったことを暗示しています。

ところで、グロムイコはスターリンの安保理欠席の判断をどうとらえていたのでしょうか。上記の回想録によれば、「さすがのスターリンも感情に惑わされて、最良の決定を成しえなかった」と木で鼻をくくったような冷めたコメントを残しています。

しかし、このようなグロムイコの回想から窺えることは、グロムイコ自身も身を挺してまでスターリンの間違った指示に反抗することはしなかったということであり、言い換えればグロムイコも安保理欠席を深刻には捉えていなかったと解釈することも可能なのです。ということは、グロムイコもDSの意向を容認していたとみられるのです。

スターリンは既に始まっていた東西冷戦の東側の指導者であるはずでした。それにもかかわらず、東側に大変不利になる態度をとったのです。こう考えてゆきますと、私たちが世界制覇を巡る米ソの対立と学校で習った第2次大戦後の東西冷戦体制は、DSの自作自演であったことがわかるではありませんか。

マッカーサーは語る

朝鮮戦争の謎は、国連軍だけにとどまりません。国連軍は実質的にアメリカ軍でしたが、その指揮を任されたダグラス・マッカーサーGHQ総司令官は、悲痛な記録を残しています（『マッカーサー回想記』朝日新聞社）。

驚くべきことに、アメリカはマッカーサーに勝利に必要な武器や人員を与えなかったのです。このことは、マッカーサー指揮の下で、北朝鮮軍や後に参戦してきた中共義勇軍との戦闘に従事していたアメリカ軍が勝利するのを、アメリカ自身が故意に妨《さまた》げてきたと解釈されるのです。

このような厳しい条件のもとにあっても、マッカーサーは中共軍の北朝鮮への侵入ルートである鴨緑江の橋梁を爆撃する許可をアメリカ政府に求めました。しかし、アメリカ政府の回答は想像を絶する内容でした。イギリス政府と協議した結果、「満洲国境から8キロの範囲内にある目標に対する爆撃はすべて延期する」と、マッカーサーを落胆させる厳しい内容だったのです。

こうなると、戦う意欲を完全に削がれてしまうことになります。加えて、マッカーサーを驚愕させる事実が判明しました。マッカーサーの軍事作戦の詳細が、アメリカ国務省を通じてイギリスに伝えられ、イギリスからソ連とインドを通じ中共軍と北朝鮮軍に流されていたのです。中共軍は満洲内部の補給線を攻撃される恐れがないことを知っていたので、いわば聖域として自由に使用することができたのです。アメリカが、敵の中共軍を守ってやっていたというわけです。

マッカーサーの回想記からは共産主義を世界に広めようとするＤＳの戦略が見て取れますが、当のマッカーサー自身がどうしても理解できなかった点がこのＤＳの姿勢だったのです。後にみるように、中国における国共内戦について、マッカーサーはマーシャル将軍が蔣介石に共産党との連立を強いるなど、悲劇的な誤りを犯したと批判していますが、共産党政権を樹立しようと工作したマーシャルの本音は理解できなかったのです。

マーシャルの本音が見抜けなかったマッカーサーは、朝鮮戦争に国連軍側に立って参戦したいとの蔣介石の要望を、ワシントンに取り次ぎますが、その都度拒否される憂き目にあっています。国連軍の作戦の最高責任者であったトルーマン大統領の下で国防長官を務めたのは、ほかならぬマーシャル将軍その人でした。

マッカーサーはこう回想しています。「トルーマン大統領は蔣介石を非常に嫌っており、蔣介石総統と仲良くする者は大統領の怒りを買うことを覚悟せねばならない」と自身の経験を述懐しています。「日本を相手にした時には、蔣介石と手を握ることに反対しなかった連中が、なぜ共産勢力を相手にする時にはそれを嫌がるかは、ついに明らかにされなかった」というのですが、このことからマッカーサーが蚊帳《かや》の外であったことが窺えます。DSにとってみれば、彼らの秘密を軽々に漏らすことはしなかったのです。マッカーサーは、アメリカの真のエスタブリッシュメントのメンバーではなかったのです。

マッカーサーの日本擁護

ワシントンの指示に従わなかったとして、1951年4月国連軍司令官を解任され、同時にGHQの総司令官も馘《くび》になったマッカーサーは、帰国直後の5月にアメリカ議会上院軍事外交委員会で証言しました。その内容は、なんと日本が大東亜戦争に突入した原因はおおむね安全保障のためだったと証言したのです。日本軍と死闘を続けたマッカーサー、国際法違反の極東軍事裁判を開設しA級戦犯7人を絞首刑にしたマッカーサー。憎しみの対象であるはずの日本を擁護する証言は、なぜ行われたのでしょうか。

日本政府は、このマッカーサー証言に触れることを意図的に回避しています。もちろん、歴史教科書には出てきません。日本に有利な証言にもかかわらず、なぜ政府は及び腰なのでしょうか。この点に、戦後の深い闇が窺《うかが》われるのです。

DSの論客であったズビグニュー・ブレジンスキーがその答えを教えてくれています。彼は、戦後のアメリカDSの目的は、日本がリージョナル・パワーとして再興することを認めないことだと自著（『The Grand Chessboard』）の中で明らかにしています。つまり、日本をパワーにしないということは、独立国家として認めないということです。日本には主権がないという意味でもあります。日本は地域パワーになるのではなく、インターナショナルな存在であれと命令しているのです。「インターナショナルな存在」ということは、世界のためにお金を出す存在であれと言っているのです。独自の外交政策を持ってはいけないということでもあります。カナダのような存在であれとも言っています。カナダが悪いわけではありませんが、カナダには独立国家としての明確なアイデンティティがありません。世界のグローバリズム現象の先端を行くことを国是としているようにも見られます。国連PKO派遣の先進国ですし、男女の区別をなくす運動の先頭を走っています。

安倍元総理がなぜ「戦後レジームを脱却し、日本を取り戻す」と訴えなければならなかったのか。なぜ日本を取り戻すためには、戦後レジームを脱却することが前提となるのか。その答えを、このブレジンスキーの言葉の中に見ることができるわけです。戦後レジームとは、日本に主権をなかったことを意味しているのです。主権意識を回復しないと、日本を取り戻す意義が見いだせないのです。安倍総理の訴えが心に響くではありませんか。第1部で見たように、現在の岸田政権がDSに日本を売り渡しても恬《てん》として恥じないのは、主権意識がないからです。

戦後レジームとは——DSの日本への企み

ところで、DSは戦後の日本がパワーを回復しないために、入念な分割統治方式を日本と近隣諸国との関係に持ち込みました。

まず、ソ連との関係では、日本がソ連との間で永久的に北方領土の範囲を巡り論争するよう仕向けました。在日イギリス大使館は1951年のサンフランシスコ講和会議に絡んで、「対日平和条約において、日本に千島列島を放棄させるが、この放棄させる千島列島の範囲を曖昧にしておけば、この範囲を巡って日本とソ連は永久に争うことになり、これは西側連合にとって有利になる」と意見を具申《ぐしん》しています。日本とソ連が永久的に和解できない種を蒔いたということです。

時は巡って、2018年のシンガポール会談での安倍総理とプーチン大統領との首脳会談で、歯舞色丹《はぼまいしこたん》の二島返還で合意しました。ここに、千島列島の範囲が確定したのです。日露を永久的に分断しようと企んだDSの戦後レジームの一角が崩れました。あとは、両国の外相間で日露平和条約の文言を詰める段階にまで来ました。しかし、ロシアのラブロフ外相は敵国条項を持ち出してきたのです。国連憲章にある敵国条項は国連改革の一環として国連総会決議によって死文化していました。しかし、憲章にはそのまま残っているのです。日本語ではUnited Nationsが国連と訳されているから紛らわしいのですが、要するに「連合国」のことです。つまり、第2次世界大戦の戦勝国の集まりなのです。日本は敗戦国として、すなわち敵国として戦勝国の集団に入れてもらったにすぎません。したがって、敵国条項を適用されたとしても、受け入れざるを得ない立場にあるのです。この点は、今後の日本の外交を考えるうえで、忘れてはいけないことです。

なお、安倍総理はインタビューによる回想録（『安倍晋三回顧録』中央公論新社）の中で、ロシア国内に反対する勢力があったため、プーチンも無視できなかったとの趣旨を述べておられますが、この勢力とは言うまでもなくロシア国内に隠然たる力を持っているＤＳのエージェントなのです。アメリカのＤＳとロシアのＤＳがこぞって反対したので、北方領土交渉は最終的に日の目を見なかったというわけです。翻って、現在のウクライナ戦争を見ると、プーチン大統領が徹底してウクライナを倒す決断をすることができた理由の一つが、ロシア国内のＤＳの力が衰えてきたことを暗示しているとみられるのです。そうであるならば、２０２４年以降において、北方領土交渉が決着する可能性が高まったと言えます。現在の岸田政権に北方領土解決へ向けての用意ができていないのが残念です。

次に、竹島の領有を巡る韓国との関係です。同じく講和条約に日本が放棄する領土に竹島を入れるよう韓国政府がアメリカ政府に要請していました。これに対し、アメリカは竹島が1905年以来島根県の管轄下にあり、竹島がかつて朝鮮によって領有権の主張がなされたことはないとして、竹島は講和条約において日本が放棄する対象にはなりませんでした。しかし、問題はこれからです。韓国は国際法に違反する李承晩ラインを設定して竹島を韓国領に編入しました。これを受け、韓国を訪問したアメリカ政府特使は、「竹島が日本領であるとのアメリカの立場は秘密裏に韓国政府に通報されたが、公にはされなかった。アメリカは本件に介入することは断った」という報告をアメリカ政府に行っているのです。アメリカは竹島が日本領と認めているのですから、公にしてくれれば本件は直ちに解決するのです。あえて公にしないことに、日韓を竹島領有で半永久的に争わせようとのアメリカの陰険な意図を感じざるを得ません。

竹島以外にも、日韓を離反させる工作を行いました。韓国人のキム・ワンソプ氏は『親日派のための弁明』の中で、アメリカが日本を再興させないために、韓国内で強力な反日洗脳教育を行うとともに、産業面においては日本経済を牽制するために先端産業をコピーさせて、韓国の経済発展を支援したと、日韓の憎悪関係がＤＳによって意図的に育成されたことを明らかにしています。

ところで、２０２３年８月の日米韓キャンプ・デービッド首脳会談において、アメリカは韓国をＤＳの世界戦略の駒に使うことを決めたのではないかと見られます。そうなると、もし、ウクライナ戦争に代わる大規模な戦争が今後起こるとすれば、朝鮮半島になる可能性が高まりました。しかも１９５０年とは逆に、韓国が北朝鮮に侵攻することになると考えられるのです。朝鮮半島有事に対する日本の準備はできているのか、大変気になるところです。

この有事において、韓国との関係を強化している日本が韓国とともに北朝鮮に侵攻するようＤＳから圧力がかからないか、大いに心配になります。この圧力を逆手にとって、竹島が日本領であることを韓国に認めさせるぐらいの離れ業を期待したいものです。

では、北朝鮮との関係はどうでしょうか。北朝鮮による日本人拉致問題です。意外に思われる方もおられると思いますが、常識的に考えてみれば、そもそも北朝鮮が対日工作員の日本語教官に事欠いているはずがありません。日本統治下時代に日本語を学んだ世代も存在していますし、拉致が行われる少し前に日本から帰国した在日朝鮮人やその日本人妻も多くいたのです。なのに、わざわざ、危険を冒して日本人を拉致する必要はなかったのです。そうすると、日本と北朝鮮が拉致問題を巡り対立を続けるために拉致を実行させたのはDSであると見るのが自然なのです。日本の警察当局も拉致を把握していたはずです。北朝鮮の単独行為なら、阻止できないはずがありません。しかし、拉致の背後にDSがいるとなると、日本の警察は介入することができなかったというわけです。歴代の日本の政権や拉致被害者団体は犯人のアメリカに対し、拉致問題の解決への支援を求めていました。アメリカは口では日本の姿勢を支持するなどの発言を繰り返していましたが、いかに茶番であったか、改めて明らかになったと思います。

しかし、今回北朝鮮がロシアと同盟関係になったことから、拉致問題の解決が現実のものとなったと考えられます。トランプ大統領は金正恩に拉致を解決するように強力に働きかけていました。今回、プーチン大統領がその役割を担ってくれる可能性が出てきたと言えます。

DSの工作だったことで、北朝鮮の責任は軽くなるはずです。実際の解決法においては、DSの責任であって北朝鮮の意図に基づくものではないということだけでは、日本の世論を納得させることは困難かもしれません。DSが完全に消滅していない限り、真実を明らかにすることは憚《はばか》れることでしょう。そこで、北朝鮮の責任を不問に付して、解決を図ることです。これなら、DSの嫌がらせを受けることもなく、拉致被害者全員の帰国を実現することができるでしょう。かつてのトランプ大統領の尽力に代わり、今回はプーチン大統領の手腕に期待することができるでしょう。その意味からも、一刻も早くロシアとの関係改善を図る必要があるのです。なお、2001年の小泉総理訪朝時に合意された平壌宣言に謳われた核、ミサイルと絡めて拉致を扱う条項は事実上無効になりましたが、拉致問題が核やミサイルの問題と切り離して解決すれば、日本は北朝鮮の経済発展に全面的に協力するべきでしょう。2024年からの日朝関係は、根底から変わることになりそうです。ただし、岸田政権が韓国べったりから抜け出ることができなければ、岸田政権の下では日朝関係の強化は絵に描いた餅になってしまうでしょう。

最後に、中国との尖閣を巡る関係に触れておきます。DSは尖閣諸島が日米安保条約第5条の適用範囲内であることを公言してはいますが、尖閣諸島が日本領であることは認めていないのです。この姿勢も、これまでに見てきた分断統治方式と同じで、尖閣諸島の領有を巡り、日本と中国が半ば永遠に対立することを狙ったものと考えられます。

歴代の日本政府は、アメリカが尖閣諸島は日米安保条約第5条の適用範囲にあることを確認したと喜んでいますが、その第5条は「日本国の施政の下にある」尖閣諸島が武力攻撃を受けた場合、それぞれの憲法上の規定などに従って、共通の危険に対処するよう行動することを約束しているにすぎないのです。尖閣が攻撃されたとしても、自動的にアメリカが日本を守ってくれるわけではないことがお分かりいただけると思います。

ブレジンスキーは、日本には同盟国として対処する一方、中国には関与してゆくことを明らかにしています。つまり、尖閣を巡り、日中がアメリカの意向を離れ解決を求めることを牽制しているのです。尖閣問題を解決したければ、アメリカが調整すると言わんばかりの態度です。

なお、尖閣問題で忘れてはならない点は、台湾も領有権を主張していることです。日本との友好国とされている台湾とは、尖閣問題を巡り対立関係にあるのです。日台関係の強化を考える政治家は少なくないのですが、この点は忘れてはならないでしょう。

第2章　DSと20年戦い続けてきたプーチン大統領

DSとの直接対決は、2003年10月に開始

第2部第1章でみたように、プーチン大統領が北朝鮮を自らの陣営に迎え入れることができたのは、2003年以降、DSのロシア支配と戦ってきたプーチンの固い信念によります。彼の堅固な信念は、2023年9月30日に行われた演説に如実に表れています。ドネツクおよびルガンスク人民共和国とザポリージャおよびケルソン地域のロシア編入式典における演説です。この演説はいわばプーチン大統領の対DS戦争観の集大成といっても良いもので、DSに対する最終戦争（ハルマゲドン）への決意を

世界に向かって明らかにしました。

その背景には、ウクライナ戦争がロシア勝利のうちに終わったことが挙げられます。ウクライナ戦争は、第1部で詳しく回顧したように、ウクライナとロシアの戦争ではなく、DSとロシアとの戦いでした。繰り返しになりますが、この事実を理解しないと、２０２４年以降の世界に何が起こるのかを見通せなくなります。これらの共和国や地域のロシア編入は、プーチンの帝国主義的領土拡張といった低次元の出来事ではありません。これらに住むロシア系住民が彼らの望むロシア文化の下で生活することを保障した宣言なのです。

２０１４年２月のマイダン・クーデター以降、これらロシア系住民はDS配下のウクライナ非合法政権によって虐殺されてきました。一旦はいわゆるミンスク合意（２０１５年２月）に従い、ドネツク・ルガンスク地域に高度な自治を認める交渉を行うことが合意されていたのですが、ゼレンスキー政権になって反故《ほご》にされた経緯があります。「メルケル首相は最近「当時の独仏はプーチンをだましていた」との趣旨の発言をして物議をかもしましたが、ゼレンスキー政権前のポロシェンコ大統領時代のミンスク合意を巡る交渉時の雰囲気とは隔世の感があります。簡単に言えば、この時はメルケル首相もフランスのオランド大統領も真剣だったのです。しかし、両者に反発したジョージ・ソロス以下ネオコンの連中が、独仏に報復したのです。ドイツに対しては100万人のシリア難民の流入、フランスに対してはパリ同時多発テロでした（いずれも2015年）。この結果、両国はミンスク合意への積極的な介入を控えるようになったのです。DSの報復手口の例として、覚えておくべきでしょう。

2024年以降を展望する上で、9月30日のこのプーチン演説は歴史に残る名演説と言っても過言ではありません。この演説で重要なことは、プーチン大統領が現在の欧米諸国が左傾化して腐敗していることを鋭く指摘していることです。プーチン氏はボルシェビッキ革命の例を引きながら、伝統文化を否定することがいかに罪深いことであるかを強調しています。このプーチンの考えは、既に様々な機会に表明されてきていました。最近では2021年10月ロシアのソチで行われたバルダイ会議（いわばロシア版世界経済フォーラム）におけるスピーチを挙げることができます。

ウクライナ戦争が始まる半年前に行った演説の中で、プーチン大統領は当時の流行であった極左勢力による既存秩序破壊運動の危険性を非難して、伝統的価値を徹底的に否定したボルシェビッキ革命の教訓に学ぶべきことを訴えました。このプーチンの指摘は、極左運動の正体を暴いている点で大いに参考になります。注目すべきは、ボルシェビッキは女性を国有化したと述べている点です。

我が国も含めて、ジェンダーフリーという実態が不明なイデオロギーが独り歩きしていますが、ジェンダーフリーが行き着く先は女性の国有化という女性の人格を抹殺するおぞましい社会なのです。我が国でもジェンダーフリーを唱えることが時代の先端を行くインテリの象徴のような傾向にありますが、実は女性に対する最悪の冒瀆《ぼうとく》なのです。我が国で最高裁判所まで巻き込んで論争になっているLGBTとりわけトランスジェンダー問題は、LGBTの人々を冒瀆する結果になる危険があるのです。

プーチン氏は人種差別反対の掛け声が結局文化の全面的否定（キャンセルカルチャー）に変質して、新たな人種差別感情を生んでしまい、真摯に人種差別と闘ってきた人々を孤立させる結果になったと鋭く指摘しています。これらの指摘は、この当時いわゆる批判的人種論を弄《もてあそ》んでいた左翼の人々に対する正面からの挑戦でした。勇気ある発言であったと評価できます。

プーチンと欧米愛国者たちとの共闘が始まった

ところで、９月30日の演説を分析してみますと、プーチン大統領は今日のＤＳの凋落に確信を持っていたことが判明しました。それどころか、ウクライナ支援やロシア制裁に懐疑的なＥＵ諸国の立場に同情を示しているのです。ＥＵ諸国だけでなく、アメリカ国内の国益重視派の人たちに対しても、ＤＳの影響力を断ち切るためにロシアとの共闘を呼び掛けていると読めるのです。

プーチン大統領は、欧米の中にロシアと考えを同じくする人々がいると言い切っています。プーチンは何らかの確証を得たのでしょう。その後のアメリカやＥＵ諸国のウクライナ戦争の停戦を求める動きを見れば、彼らがプーチン演説の趣旨を的確にとらえて、具体的な行動を始めたことがわかります。つまり、２０２２年９月30日以降になって、停戦を求める動きが目に見える形で活発化したのです。

9月26日にノルドストリーム・パイプラインがアメリカのCIAと海軍およびノルウエー海軍の合同作戦によって破壊されました。この情報は、アメリカの著名なジャーナリストであるシーモア・ハーシュが自らのブログで暴露したものです。もちろんプーチンもこの作戦を把握していました。演説の中で、この爆破はDSの作戦が経済制裁から転覆活動に転化したとして、ドイツのみならず欧州全体のエネルギー・インフラを破壊し、脱工業化を狙ったものだと非難しています。実は、この爆破事件を契機として、アメリカ政府部内でウクライナ戦争終結に向けた国益重視勢力が、DSの戦争継続路線を抑えることに成功したとみられるのです。国益重視派は、ドイツや欧州のロシア依存を軽減することに成功したので、ウクライナ戦争の外交的目的を達したと判断したわけです。

この国益派の勝利が11月14日にトルコで行われたバーンズCIA長官とナルイシキン露対外情報庁長官の直接会談に結実しました。バーンズCIA長官は元駐露大使です。当然、プーチン大統領と交流があったはずです。ナルイシキンとも何らかのコンタクトがあったとしても不思議ではありません。この会談では、ウクライナ停戦へ向けた交渉が行われたと考えられます。翌15日には、その結果を踏まえてバーンズCIA長官はウクライナを訪問しています。

ところが、この日あわやロシアとNATOを戦争の瀬戸際に追い詰めかねない事件が起こりました。ゼレンスキーはロシアのミサイルがポーランド領内に着弾したと発表したのです。しかし、考えてみればプーチン大統領がNATOとの直接対決を企図する動機はありません。アメリカ政府が早々に火消しに回りました。ロシアのミサイルとは考えにくいと発表したのです。停戦交渉が進むことを恐れたDSがゼレンスキーを嗾《けしか》けたと考えられます。停戦を巡り、アメリカ政権内で路線対立が表面化したのです。あくまでロシアとの戦争を続行させようとするDS、これに対しアメリカ政府内の国益派はDSに不利な情報を漏洩させる作戦に出たのです。以降、ウクライナの敗北を示唆する様々な政府文書が、メディアに流されるようになりました。

注目すべきことは、2023年1月に発表された国防総省のシンクタンクであるランド研究所のレポートです。このレポートは、ウクライナ戦争が長引けば長引くほどアメリカの国防力が弱体化し、中国の台頭などに備えるうえで不利になるとして、早期の停戦を求めるものでした。これを受けて、2月にバイデン大統領がウクライナを電撃訪問して、ゼレンスキーにロシアとの停戦交渉に入るよう促したというわけです。

それまでウクライナ支援を主導してきたバイデン政権が、ウクライナを激励するための訪問ならば、何も「電撃訪問」する必要はなかったのです。DSの反対にもかかわらずウクライナ支援の終了を言い渡すためであったからこそ、事前にロシアに訪問日程を通報したわけです。プーチンがバイデンを攻撃する動機はありません。プーチンとしては、アメリカの国益派による停戦へ向けての動きを歓迎したことでしょう。むしろ、バイデンの電撃訪問こそ、プーチンの停戦姿勢を支持するとの、アメリカの仲間たちへのシグナルであったと解釈されます。恐らくプーチン大統領は、今春以降のウクライナのいわゆる反転攻勢の宣伝工作に対抗処置をとらずに、静観する態度をとっているのだと考えられます。阿吽《あうん》の呼吸で、米露の協力が実現していると見ることができるのです。

9月30日の演説は、フランス、イタリア、スペインなどの1000年にわたる歴史と伝統文化に敬意を払いながら、これら諸国の国民国家を破壊しようとDSが努めていることに警鐘を鳴らして、ロシアと共にＤＳと戦おうではないかと、これら諸国のプライドを擽《くすぐ》っているのです。かくして、プーチン大統領は欧州の多くの諸国を味方につけることに成功したと見ることができます。最近、ポーランド、ハンガリー、チェコは穀物輸出を巡りウクライナをＷＴＯに提訴しました。本来なら、直接交渉で解決できる問題ですが、これら諸国とウクライナとの亀裂は深まる一方と見られます。

また、９月30日、スロバキアで行われた議会選挙において、ロシアとの友好を唱える政党スメルが第一党になりました。フィツォ党首はこれから連立政権樹立へ向けて他党と話し合いを始めることになります。欧州ではこれを、第二のオルバン（ハンガリー首相）の誕生と期待する向きも少なくありません。これからも、欧州各国において親露派政党の躍進というドミノ現象が起こりそうに見られます。

以上のように、プーチン演説の真意は、欧米諸国との対決姿勢を強化することではなく、プーチンが始めたＤＳという悪魔との聖戦に対し、共に戦おうという融和姿勢を伝えることでした。このメッセージを正しく理解したアメリカや欧州の愛国者たちが、プーチンと共闘することを選択したのです。現在はまだ水面下での動きですが、

2024年には愛国者による聖戦が私たちの目に見える形で明らかになることでしょう。プーチン演説には北朝鮮に関する言及が見られませんが、このころすでにロシアと北朝鮮の関係強化が密かに話し合われていたとしても不思議ではないでしょう。

この見方を裏付ける動きが、9月30日アメリカ議会で見られました。アメリカの2024年度予算（2023年10月1日から24年9月30日）が成立しなかったのです。最大の理由はウクライナ支援を認めるか否かでした。妥協の末の45日間のつなぎ予算には、ウクライナ支援は盛り込まれなかったのです。政府機関の閉鎖を回避するためのぎりぎりの妥協だったと報じられていますが、結果的にはアメリカは10月1日以降11月15日までウクライナに新たな武器援助などを行うことはできなくなったのです。

これを単なる偶然の出来事とみなして良いのでしょうか。プーチンの呼びかけに応じた、アメリカ愛国者の行動であったと見ることも、排除できません。もしそうならば、この45日の内にウクライナ戦争が完全に終わっている可能性が出てきたのです。

ところが、上記のつなぎ予算をまとめたマッカーシー下院議長が、共和党内の強硬派によって解任されるという事件が起こりました。マッカーシー議長は共和党員ではありますが、いわゆるＲＩＮＯ（名ばかりの共和党員）で、そもそも議長就任にあたり共和党内の保守派の反対で、15回の選挙の末に選ばれた経緯がある人物です。保守派はマッカーシー議長の手足を縛る妥協を勝ち得ました。後知恵になりますが、マッカーシー解任事件にも、ＤＳの敗北が目に見える形になったと見られます。

当面アメリカによる新たなウクライナ武器支援は行えなくなりましたが、イギリスが武器援助を継続する可能性は否定できません。ところが、最近のスナク・イギリス首相は、武器援助に慎重な姿勢を示し始めました。イギリス１国で武器需要を支えることには無理があると考えたからかもしれません。ひょっとすると、本書が出版される頃にはウクライナ戦争の終結に向けた動きが明らかになっている可能性があります。

イスラエルvsハマス戦争

10月7日、ヨムキプールの大贖罪日に続くスコット（仮庵祭）の最終日の休日で安息日にガザを実効支配するイスラム原理主義テロ組織ハマスが、イスラエルに２００

0発以上のロケット弾攻撃などで奇襲し、多数のイスラエル人や外国人が死亡しました。これを受け、メディアの関心はハマス一色になりました。

歴史的に見ますと、2014年のマイダン・クーデター以降、DSの立場が悪くなるとシリアで紛争が激化しました。このように、ウクライナでの状況が不利になれば、世界の関心をシリアに向けてきたのです。今回のハマス奇襲攻撃も同じパターンだと考えられます。

イスラエル政府はこの攻撃は戦争行為であるとして、対ハマス戦争を宣言して、大規模な軍事攻撃を行いました。ハマスは、過去にもイスラエルを軍事攻撃していますが、イスラエルの反撃に抵抗するため、軍事基地内に人間の盾を築き、防戦したことがあります。このような非人道的なやり方は、ハマスがテロ組織であることを証明するもので、ガザのパレスチナ人の苦境に同情心を抱いて支援を訴えることは、短絡にすぎるでしょう。今回のハマスの攻撃を、イスラエルの悪名高いモサドでさえ予測することができなかったとメディアなどで報じられていますが、単純に信じることはできません。

１９７３年のヨムキプール戦争において、当時のアメリカのキッシンジャー国家安全保障補佐官は回想録の中で、イスラエルを先制攻撃したエジプトの出方を読み間違えたとの反省を書き記しています。エジプトに駐在していたソ連軍人や家族などが出国した状況を、イスラエルからの攻撃が迫っていると解釈したからと綴っていますが、実はエジプトのイスラエルに対する攻撃準備が整ったから、彼らはエジプトを脱出したのです。

詳細は省きますが、イスラエルがわざと無防備にして、エジプト軍の進撃を許し、エジプトにイスラエルに勝利したとのプライドを抱かせて、イスラエル・エジプト間の和平条約締結を実現したという、高等戦術だったのです。このシナリオを描いたのがキッシンジャーでしたが、彼はごまかすために自らの情報判断が間違っていたと神妙な反省を公にしているわけです。

さらに、戦争中にＯＰＥＣによるイスラエル友好国に対する石油禁輸が行われて、石油危機が発生しました。石油の価格が４倍に高騰し、世界は原油高と石油不足に覆われたのです。禁輸対象国になった当時の日本でトイレットペーパー買い占め騒ぎが発生したのも、記憶に新しいところです。

ＯＰＥＣ会議で熱心に原油価格の値上げを主張したイランのパーレビー国王は、サウジアラビアのヤマニ石油相から理由を問われ、キッシンジャーに聞いてくれと答えたというエピソードが残っているほどです。

翻って今回のハマスの急襲を考えてみますと、ネタニヤフ首相は、ハマスに戦争を仕掛けて壊滅させるために、あえて最初の一撃を打たせたと見ることも可能なのです。今回は、敵のメンツを立てるためではなく、敵をせん滅する口実を得るためです。ハマスは、中東におけるトラブルメーカーとしてＤＳの支援を受けていたと考えられますが、ＤＳはウクライナ戦争で敗北したため、世界を第３次世界大戦に引きずり込むために、最後の賭けに出たと見られます。ハマスに同情するイランやサウジアラビアに対イスラエル戦争を嗾《けしか》ける狙いがあったと考えられるのです。

これ以降、世界の関心はウクライナから中東へ移りました。ウクライナはＤＳから放棄されたのです。実はメディア報道とは逆で、プーチン大統領は和平を急いではいなかったのです。ウクライナ戦争を長引かせれば長引かせるほど、弱るのは軍事援助をしているＮＡＴＯ諸国であることを見抜いていました。だから、戦争を敢えて長引かせて、ＮＡＴＯ諸国の背後のＤＳを弱体化させようとの戦略をとったのです。

そして、それに成功しました。これまで述べてきたプーチン大統領の9月30日演説の私の解釈が正しければ、この段階でＤＳは全面的に敗北したことを意味します。ＤＳの敗北は崩壊につながります。ＤＳの崩壊は２０２４年の米大統領選挙に決定的な影響を及ぼすことになります。トランプ大統領の当選は揺るぎないものとなるでしょう。場合によっては、２０２３年中に、２０２０年の大統領選挙の前代未聞の不正が白日の下にさらされて、トランプ大統領の勝利が宣言される可能性も決して否定できないでしょう。実際の選挙日から3年かかりましたが、トランプ氏がこの日からアメリカの大統領として正式に認められることになります。技術的には解決されなければならない事項はありますが（例えば隠れＤＳだった副大統領のペンスまで復権するのか否か）、いずれにせよアメリカ政治が根本的に変化する事態が予想されます。第二の独立戦争といってよいでしょう。ＤＳ支配からの独立を獲得した歴史的革命と将来の歴史家が回想することになります。この点については、第2部第3章で改めて論じます。

翻って我が国を見ると、このような愛国者の戦いが水面下で進行していることに、何の関心も示していないことがわかります。それどころではありません。日本のメディアは、上記の欧州諸国における親露派政権の成立をウクライナ支援に混乱をもたらすものと批判している有様です。このようないわば能天気の報道は、プーチンの対日態度を決める大きな要因になっている可能性があります。プーチン大統領はこの演説の中で、日、米、韓の政治軍事連携が強化されたと批判していますが、今年8月のこの3カ国のキャンプ・デービッド会談まで見通していたのかもしれません。

いずれにせよ、我が国はプーチンの反DS戦に反対する勢力に、何も考えずにしがみついている状況にあります。2024年以降の我が国の生きる道を考えた場合、これでいいはずがありません。戦前の平沼内閣が「欧州情勢は複雑怪奇なり」として総辞職を余儀なくされた悪夢の再来は、防がなくてはなりません。この点に関しては、最終章(あとがきにかえて)で改めて論じたいと思います。

プーチンの戦いの歴史

以上に見たロシアと欧米愛国者たちとの共闘に成功したプーチン大統領の卓越した手腕は脱帽に値しますが、なぜこのような手腕が磨かれたのかというと、２００３年以来今日まで20年間にわたりＤＳと死闘を演じてきたからなのです。従って、これまでの20年間の戦いを簡潔に振り返ることにします。

ホドルコフスキー逮捕流刑

２００３年10月、プーチン大統領はオルガルヒ（新興財閥）の有力者で石油王のミハイル・ホドルコフスキー・ユコス社長を脱税の罪で逮捕し、シベリヤに流刑しました。その理由は、ホドルコフスキーが、同じくオルガルヒ傘下のシブネフチと合併し、ロシア最大の石油会社を誕生させる予定になっていたのですが、プーチンの逆鱗に触れたのは、ホドルコフスキーが新会社の株40％を石油メジャーのエクソン・モービルとシェブロンに売却する交渉を始めていたからです。これはロシアの石油資源がアメリカのメジャーに握られることを意味します。「ロシアの資源はロシア人が所有すべき」とのプーチンの政治哲学と相容れません。

ホドルコフスキーは株売却以外にもプーチンを怒らせる工作を行っていました。それが「オープン・ロシア財団」の設立です。読んで字のごとく、ロシアを世界に、ということはDS資本に、開放する団体です。ソロスの「オープン・ソサイエティ財団」のロシア版といったところですが、共同経営者にイギリスのジェイコブ・ロスチャイルド卿を持ってきたことです。加えて、財団のアメリカ支部にキッシンジャーを理事として迎えました。プーチン大統領にとって、ホドルコフスキーの動きは、エリツィン政権時代の悪夢を連想させることになりました。

前任のエリツィン大統領は、ユダヤ系のオルガルヒの影響下にありました。政権の閣僚は、エゴール・ガイダル首相、アナトリー・チュバイス副首相、ボリス・ネムツォフ副首相、ゲンナジ・ブルブリス国務長官など主要閣僚はほとんどユダヤ系でした。いわゆるロシア経済の急激な民営化という「ショック療法」の指導をしたのは、アメリカから乗り込んできたユダヤ系経済学者ジェフリー・サックス・ハーバード大学教授でした。エリツィンを背後から支配したオルガルヒは、7財閥中6財閥までがユダヤ系でした。

興味深いことに、ウクライナ戦争を巡り、最近ジェフリー・サックスはロシアを擁護する発言を行っており、ウクライナ側に大義がないことを発信しています。サックス氏はDSの命を受けてロシアのショック療法を遂行したのですが、良心の痛みを感じるようになったのでしょうか。DSの内部分裂が進行している傍証の一つと考えられます。現在でも時々名前が取りざたされることがありますので、6財閥の当主と分野を知っておく価値があります。

①ボリス・ベレゾフスキー（石油大手のシブネフチ、ロシア公共テレビのORT。2013年亡命先のイギリスにて自殺）

②ウラジミル・グシンスキー（持ち株会社のメディア・モスト、民放最大手のNTV。スペインへ亡命）

③ロマン・アブラモビッチ（シブネフチの共同所有者）

④ミハイル・ホドルコフスキー（メナテップ銀行、石油大手のユコス。シベリア流刑ののち、ソチオリンピックの恩赦で釈放されたが、現在スイスに亡命中）

⑤ピョートル・アベン（商業銀行最大手のアルファ銀行）

⑥ミハイル・フリードマン（アルファ銀行の創設者）

特徴は、銀行、メディア、石油資源を所有していることです。エリツィン時代に、ロシア国民はオルガルヒのメディアによる言論統制下にあったのです。その洗脳の下で、国民は彼らの支配下にあることに気づくことが妨げられてきたのです。100年以上前に、アメリカでDSがメディアの支配権を手にして以来の洗脳と同じ状況のもとに、新生ロシア国民は置かれていたわけです。DSの支配下にあったエリツィン時代の米露関係が良好であったことは、言うまでもありません。

東欧カラー革命

プーチン大統領によるオルガルヒ潰しに強く反発したのがDSでした。プーチンは大統領就任後オルガルヒ側に妥協を持ちかけました。経済活動の自由は認めるが、政治には口を出すなという取引です。しかし、オルガルヒ側はこの提案を受け入れませんでした。先に見たホドルコフスキー逮捕に対して、DSはロシア周辺諸国において親露政権打倒工作を仕掛けました。２００３年末のグルジア・バラ革命を嚆矢《こうし》として、翌年のウクライナ・オレンジ革命、さらに２００５年のキルギスのチューリップ革命と親欧米政権の樹立に成功しました。これらの政変の背後にあったのは、ジョージ・ソロスの「オープン・ソサエティ財団」と各国における支部でした。プーチン大統領は、NGO規制法を制定して、ロシアのNGOへの欧米からの資金流入や政治活動を規制したのです。なお、現在でも既存メディアによってロシアの民主主義者と称賛されている反体制派のほとんどはユダヤ系の団体です。先般、19年の懲役刑が下されたアレクセイ・ナワルヌイは欧米メディアのアイドル的存在です。

２００７年ミュンヘン安全保障会議

２００３年から始まったプーチンとDSとの戦いは、２００７年に決定的になりました。２月ミュンヘンで行われた民間の安全保障会議において、プーチン大統領はアメリカの一極主義による世界のグローバル化に強い警告を発しました。当時のロシアが置かれた状況を明確に説明していますので、列挙します。

①アメリカの一極支配やアメリカという唯一の世界支配者に反対する
②NATOの東方拡大は米露間の約束に反する
③ポーランドなどでのロシア向けミサイル設置はロシアを困惑させる

など批判を浴びせました。

このようなアメリカの世界支配の思想は、既にブッシュ大統領が湾岸戦争勝利に際し、国連を中心とする「新世界秩序」の到来と世界に宣言したことを思い出させます。「新世界秩序」とは統一された世界のことで、当時のゴルバチョフ・ソ連大統領も国連演説で世界統一の必要性を訴えていました。プーチンはアメリカの世界統一構想を見抜いていたと考えられます。かつての米ソ蜜月時代から隔世の感がありますが、2007年には米露は本当の意味で冷戦に突入したのです。

アラブの春

ＤＳからのプーチンに対する挑発は、２０１０年からのいわゆるアラブの春と呼ばれる民主化運動に見られました。民主化運動の名のもとに、中東諸国の名君を打倒したのです。サダム・フセインを処刑したイラク戦争の再来です。チュニジアから始まった民主化運動は、エジプト、リビアなどに波及し、長期政権ではありましたが国民のための施策を実行していた世俗指導者たちが、ＤＳの犠牲となったのです。特にリビアではＮＡＴＯが空爆するという力による現状変更を断行し、カダフィ大佐を暗殺したのです。お気づきのように、力によって秩序を変更してきたのは、アメリカ（ＤＳ）の方です。

アラブの春の最後の対象であったシリアではアサド大統領が持ちこたえて、ＤＳの工作は失敗しました。その責任者はオバマ大統領でした。オバマは２０１３年夏にアサドが化学兵器を使用したので空爆すると宣言したのですが、イギリス、フランス、ドイツの反対があって撤回せざるを得なくなりました。

オバマの世界の指導者としての権威はここで失墜したのです。そこに乗り込んできたのがプーチン大統領でした。プーチンはシリアの化学兵器を国連の管理下に置くとの妥協をまとめ、一躍中東の指導者に躍り出たのです。

マイダン・クーデター

このプーチン大統領に対する報復が、ウクライナでの親露派のヤヌコビッチ大統領追放運動です。２０１３年末からウクライナにおいて反政府デモが頻発するようになりました。ヤヌコビッチ大統領がＥＵとの経済連携交渉を断念し、ロシアの協力を仰ぐことになったことに対する民衆の反政権運動と報じられましたが、実態はＤＳの外交面における実戦部隊であるネオコンの工作によるものでした。資金面で援助したのがジョージ・ソロスでキエフの現場で指揮したのが米国の国務次官補だったビクトリア・ヌーランドでした。その後の展開は読者の方々によく知られていますので詳細は避けますが、翌年2月にヤヌコビッチ大統領を追放し、ネオコン政権を樹立しました。現在のウクライナ戦争の種は、この時に蒔かれたのです。

ネオコン政権はロシア系住民を虐殺したため、プーチンはロシア系住民が7割を占めるクリミアを併合しました。これに反発したオバマ大統領が対露制裁を一方的に発動し、欧州や日本も巻き込まれることになったのです。

その後、東部ウクライナにおけるロシア系住民に対する虐殺を防ぐため、ミンスク合意がウクライナとロシアの間で独仏を立会人として結ばれましたが、ジョージ・ソロスが破棄を唱え、以後ウクライナはロシアに対する前線基地化されていったのです。

ロシア軍機撃墜事件

第３次世界大戦を狙うネオコンが目を付けたのは、トルコでした。トルコはＮＡＴＯのメンバーでありながら、ロシア製ミサイルを導入するなどプーチンとの緊密な関係を築いていました。そこで、ネオコンはロシアとトルコの離反を工作したのです。

２０１５年の9月末以来オバマの黙認の下でプーチンはシリア内戦に介入しました。シリアでのイスラム国（ＩＳ）攻撃に参加していたロシア空軍爆撃機がトルコ戦闘機によってシリア上空で撃墜されました。トルコとロシアが戦火を交えたとなると、ＮＡＴＯとロシアとの全面戦争に発展する危険が迫ったのです。２０１５年11月24日は世界が世界大戦の瀬戸際にあったと、将来の歴史家が見なすことになるでしょう。

翌年7月にDS工作員のトルコ軍人によるクーデター未遂事件が発生して、明らかになったのですが、トルコ空軍の工作員がエルドアン大統領の許可を得ないで、ロシア機を撃墜したのです。DSの常套手段を見抜いてください。DSは彼らのエージェントを使って戦争を誘発する工作に長けているのです。自らは事件の背後に隠れて、表に決して出てこないのです。

プーチンはDSのやり方を熟知していますから、撃墜事件後エルドアンを追い詰めませんでした。エルドアンはウクライナ戦争の現在でも、プーチンに対するこの時の恩を感じているはずです。だからこそ、早くから停戦へ向け動いていたのです。

この事件からも、何とかしてプーチンを戦争に巻き込もうとのDSの執拗な工作を見て取ることができます。2022年からのウクライナ特殊軍事作戦は、DSの誘いに乗った形をとりながら、実はDSを叩きのめすためのプーチンの高等戦略であったとしたら、ウクライナ停戦もDSの崩壊と連動していると読み解くことができるのです。これこそ、先に見た9月30日演説の巧妙な仕掛けだったのです。

ウ戦争進攻直前の演説

２０２２年2月21日のプーチン演説が、後の対ウクライナ軍事特殊作戦を予告したことは、前著でも指摘したところですので、詳細を繰り返すことは避けますが、プーチン大統領は、ＮＡＴＯの東方拡大が進み、ロシア国境沿いにＮＡＴＯ軍が直接対峙する事態になっていること、ウクライナのＮＡＴＯ加盟への動きが加速しており、ロシアの安全が直接脅かされる状況になっていること、ウクライナが対露攻撃の前線基地化しつつあること、等々を指摘して、ウクライナへの侵攻を示唆していました。これから窺えることは、プーチンのウクライナ侵攻は追い詰められた果ての自衛戦争であったということです。我が国を含め欧米は、先に一撃を加えたほうが絶対的に悪いとのフェイクでロシアを非難していますが、この論理がまかり通るなら、大東亜戦争における日本の大義も失われることになります。岸田総理におかれては、一刻も早く第一撃元凶論を克服してもらいたいものです。

第3章　トランプ大統領、DSとの最後の戦い

DSとアメリカとの戦いの歴史

プーチン大統領と同様、アメリカも1776年の建国以来DSとの戦いを強いられてきました。その最終決着が2024年の11月5日の大統領選挙で着くはずです。DSがウクライナ戦争に敗れ、崩壊プロセスに入った今日、トランプ大統領の勝利は動かしがたいものと思われます。DSには2020年のような大規模不正選挙を工作する余力がなくなったのです。DSを崩壊に導いたプーチンのウクライナ戦争勝利が、結果的にはトランプ復権に結びつくことになりそうです。2020年の大統領選挙に

おいて、ありもしないロシアゲートを嗾《けしか》けられて、大統領を最終的には追われることになったトランプ氏を、今度はプーチン大統領が救うことになりそうです。

今日のプーチン・トランプ関係を理解するためには、アメリカ建国以来の米露関係の歴史を見る必要があります。アメリカを乗っ取ろうと画策するＤＳの工作に対して、米露の愛国者が協力して戦ってきたことがわかります。

アメリカとＤＳとの戦いは、アメリカ独立と同時に始まりました。１７７６年にアメリカが独立宣言を発したことは、私たちが歴史教科書で習った通りですが、歴史教科書はアメリカ建国の父たちがアメリカを乗っ取ろうとするＤＳと熾烈な戦いを強いられたことには、全く触れません。この戦いは、まず通貨発行権を巡って戦われました。アメリカにおける連邦派と州権派の戦い等と歴史教科書は解説していますが、用語がどうであれポイントは、民間の中央銀行の設立推進派とそれに反対する建国の父たちの戦いであったことです。この対立を有利に進めるために、中央銀行派、すなわちＤＳが引き起こしたのがアメリカ独立戦争でした。現代にも通じる方法ですが、彼らは戦争を起こし、戦争資金を双方に用立て、その混乱を利用して彼らの目的を達しようと画策するのです。

アメリカ独立戦争は、１７７６年の宣言から7年後の１７８３年にようやく英米間で終戦の合意が成立しました。アメリカ政府に残されたのは、巨額の債務という桎梏《しっこく》でした。ロンドンシティの国際金融家などからの借金を抱え、返済に窮していたのです。かくして、中央銀行設立の外堀が埋められました。国際銀行家たちに借金を返済するため、中央銀行設立に口実を与える結果となりました。この方式は、ＤＳが各国政府を支配する典型的なやり方です。ＤＳのヨーロッパにおける広告塔であるジャック・アタリが『国家債務危機』の中で述べているように、「国家は債務によって発展し、債務によって滅ぶ」のです。現在、習近平の一帯一路構想による「債務の罠」が悪徳のように非難されていますが、ＤＳが昔からとっている方式なのです。このあたりの指摘を裏返して考えてみますと、「国家は金を貸すものによって栄えさせられ、そして滅ぼされる」という意味になります。この定理こそ、ＤＳがどうしても通貨発行権を握ろうとする隠れた動機なのです。ＤＳは新興独立国アメリカを支配するため、通貨発行権を奪いに来たのです。

このＤＳの意向を推進したのが、初代財務長官のアレクサンダー・ハミルトンでした。ジャマイカ移民の彼はイギリスの中央銀行であるイングランド銀行をモデルにした合衆国中央銀行の設立を提案しました。これに対し、民間の中央銀行の危険を熟知していたベンジャミン・フランクリンが強硬に反対しましたが、この対立はフランクリンが亡くなった１７９１年に決着がつきました。独立宣言を起草したトマス・ジェファーソンは、通貨発行権限は議会に属すると規定している合衆国憲法に違反するとして強く反対しましたが、ワシントン大統領が法案に署名してしまったのです。この合衆国第一銀行は20年の期限付きでしたが、国際銀行家のネイサン・ロスチャイルドなどの民間銀行が株式の80％を所有し、合衆国政府は20％しか所有できなかったのです。

こうして、アメリカの通貨発行権を握ることに成功したＤＳでしたが、20年の期限を迎えた１８１１年に上下両院はいずれも僅か１票差で更新を否決しました。ところが、翌１８１２年に、突如米英戦争が勃発したのです。ＤＳの戦争方式を理解された読者の方々であればお分かりの通り、この大義なき戦争はシティの意を受けてイギリスが嗾けたものでした。結果、アメリカ政府の債務は３倍に膨張し、国内は深刻なインフレに見舞われました。インフレに対処するため、アメリカ議会は合衆国銀行の20年更新（第二合衆国銀行）に同意せざるを得ませんでした。

愛国者ジャクソン大統領

そして20年後の1832年に期限切れを迎えた中央銀行の更新にあくまで反対したのが、第7代アンドリュー・ジャクソン大統領でした。株主の国際銀行家や彼らに買収された議員たちの執拗な圧力にもかかわらず、ジャクソンは妥協しませんでした。そのため、ジャクソンはアメリカ史上最初の暗殺ターゲットになりました。幸い、不発弾であったため命拾いしましたが、1832年以降アメリカには中央銀行がなくなったのです。以降、1913年の連邦制度理事会設立までの約80年間のアメリカの歴史は、中央銀行設立を巡る戦いであったと言えます。

リンカーン大統領の暗殺

南北戦争が起きたのも、中央銀行設立を巡る戦いの一環でした。次第にイギリスをしのぐ経済力をつけてきたアメリカを如何にして抑えるかがイギリスの最大の関心だったのです。イギリスは、アメリカの南北の対英貿易構造の差に狙いを定め、綿花輸出に負っていた南部諸国に工作して、工業製品輸出中心の北部と分離するように嗾けたのです。この誘いに乗った南部諸国はアメリカ合衆国から分離独立を宣言したため、統一を唱える北部との間で南北戦争が勃発したのです。歴史教科書が言うような、奴隷制を巡る戦いなどではありませんでした。

結局、リンカーン大統領の北部が勝利しましたが、その直後リンカーンは暗殺されました。誰が暗殺したかを見れば、ＤＳが背後にいたことが明白になります。南部連合の財務長官のユダ・ベンジャミンに雇われたジョン・ウイルキス・ブースでした。またしても、財務長官なのです。ベンジャミンはディズレリー英首相の側近であり、ロンドンのロスチャイルド家とも親交がありました。リンカーン暗殺後、ベンジャミンはイギリスに亡命しました。

リンカーンが暗殺された最大の理由は、南北戦争の戦費を賄うため、ロスチャイルドなどからの高金利の融資を断り、アメリカ財務省の法定通貨を発行したことです。

先に述べたように、戦争をＤＳの金もうけのために利用する当てが外れたわけです。アメリカ政府を借金漬けにしてコントロールしようとの目論見が頓挫《とんざ》しました。繰り返しになりますが、彼らは政府に金を貸すことによって、政府をコントロールしてきたのです。法定通貨、つまり政府が通貨を発行すると彼らの存在の基礎が崩れることになるのです。彼らの怒りは、当時のロンドンタイムスの社説を見るとよく理解されます。

「法定通貨が定着すれば、アメリカ政府はコストをかけずに通貨を供給することになる。アメリカ政府は債務を完済し、史上類のない繁栄を謳歌《おうか》することになる。このようなアメリカ政府は打倒されるべきである。さもなければ、アメリカ政府はすべての君主国を破壊することになろう」と論じました。通貨の秘密が明白になった社説です。

現在の私たちも、リンカーンに倣い法定通貨、すなわち政府通貨を発行すべきです。これによって、DSを完全に崩壊させることができるのです。DSなき世界が繁栄することと間違いがありません。リンカーン後の大統領の中でDSに挑戦した勇気ある人物がいました。あまり馴染みがありませんが、ガーフィールド大統領がその1人です。ガーフィールドは金融により支配を企んでいるDSに言及し、その後、暗殺されました。馴染みが深い大統領では、ジョン・F・ケネディを挙げることができます。ケネディは大統領令による連邦政府通貨を発行しましたが、テキサス州ダラスで白昼暗殺されました。2024年の大統領選挙に無所属で立候補を表明したロバート・ケネディJrは、「叔父ケネディ大統領の暗殺の背後にCIAがいた」と公言して物議をかもしましたが、政府通貨発行が暗殺の最大の原因であったことは疑いありません。なお、後を襲ったジョンソン大統領が早速取り組んだ施策の一つが、ケネディ通貨の回収であったことが、事の真相を証明してくれています。

連邦準備制度の成立

約80年に及ぶ中央銀行設立を巡る戦いは、1912年の大統領選挙で勝利したウッドロー・ウィルソン大統領の下で決着がつきました。問題は、なぜ中央政界に無名であったウィルソンが大統領に選ばれたのかということです。2020年とは違った形の不正選挙が行われたのです。一般には不正選挙だと見抜くことが困難なやり方でした。現職のタフト大統領は、2期目の選挙を迎え人気があり楽勝と見られていました。タフトはウォール街が望む対ロシア政策に応じませんでした。折からニコライ2世の帝制を打倒する共産主義者の革命機運が高まっていたロシアに対し、ウォール街は革命家たちを支持するよう求めていたのです。タフトがどうしても応じなかったので、ウォール街の国際金融家たちは、タフトを取り換える決意をしたのです。かくして、白羽の矢が立ったのが、ニュージャージー州知事のウィルソンでした。無名のウィルソンが当選する確率は低かったのですが、思わぬ事態が起こりました。

タフトの共和党が分裂したのです。セオドア・ルーズベルト前大統領が第三党から立候補しました。これによって、共和党票が分断されて、ウィルソンが漁夫の利を得たわけです。外から見ると、不正を見抜くことは困難ですが、ルーズベルトが出馬しなければならない必然性はありません。ウォール街に買収されていたのです。後に、フランクリン・ルーズベルト大統領の女婿のカーティス・ドールが、自著『操られたルーズベルト』(プレジデント社）の中でこの点を指摘しています。

大統領にしてもらったウィルソンとしては、ウォール街のキングメーカーたち、とりわけバーナード・バルークの意向には逆らえません。操り人形と化しました。DSによるアメリカ乗っ取りは、ウィルソン大統領の下で成就したというわけです。

まずは、民間の中央銀行の設立です。設立の陰謀は、ワシントンからはるか離れたジョージア州沖合のジキル島での秘密会合で決められました。参加者を見れば一目瞭然です。議会金融委員会委員長のネルソン・オルドリッチ上院議員が団長でしたが、実際の実務は以下のニューヨークの銀行家たちが取り仕切りました。彼らの名前よりも所属が重要です。

①フランク・バンダーリップ（ロックフェラーのNYナショナル・シティ銀行頭取）
②ヘンリー・デイビソン（モルガン商会共同経営者）
③チャールズ・ノートン（モルガン系のNYファースト・ナショナル銀行）
④ベンジャミン・ストロング（モルガン系のバンカーズ・トラスト副頭取）
⑤ポール・ウォーバーグ（クーン・ローブ商会共同経営者）
⑥ピアット・アンドリュー（財務次官補）

この顔ぶれから、だれの意向で中央銀行が作られたか、容易に気づくことができます。彼らの背後にいたのは、JPモルガンやジョン・D・ロックフェラーなどの米二大財閥とウォーバーグを送り込んだロンドンのロスチャイルド家でした。

このようにして作成された連邦準備制度法は、1913年12月のクリスマス休暇中、議員がほとんど不在の中で強行採決され、ウィルソン大統領が直ちに署名して成立したのです。連邦準備制度（FRB）という意味不明の中央銀行は100％国際銀行家が所有する民間銀行でした。

ウィルソンの世界に対する大罪

これ以降、崩れるようにアメリカはDSに浸食され始めるのです。今日のウクライナ戦争の源は、ウィルソン大統領の愚策にあるのです。以後、100年以上にわたり、世界はウィルソンの大罪に翻弄されることになったのです。次の大罪は最高裁判所判事にDSの法律家を任命したことです。それまでの最高裁にはユダヤ系の判事は皆無でした。エスタブリッシュメントのWASPの堅固な城を突き崩すことは簡単ではなかったのです。キングメーカーに頭が上がらないウィルソンは、ウォール街の弁護士サムエル・アンターマイヤーに不倫をネタに脅迫されて、DSが望む人物を最高裁判事に任命することを約束しました。

その人物とはクーン・ローブ商会の顧問弁護士ルイス・ブランダイスでした。かくして、ブランダイスは米国史上初のユダヤ系最高裁判事になったのです。クーン・ローブ商会とは、FRB設立を指導したポール・ウォーバーグが経営者です。ブランダイスに続き最高裁判事についた2人目のユダヤ人は、ベンジャミン・カルドーゾでしたが、彼の死後ブランダイスの甥でフランクリン・ルーズベルト大統領の側近であるフェリックス・フランクファーターが任命されました。9人の最高裁判事のうち2人がDSの代理人でした。ニュー・ディールの諸法案の内には違憲と判断されたものが少なからずありましたが、2人のユダヤ系判事が合憲判断を下したことは想像に難くありません。

最高裁判事から始めて、DSは次第に司法界に進出してゆきました。今日、トランプ大統領を何かにつけて司法の網でからめとろうとする謀略を可能にした元凶は、ウィルソン大統領だったのです。

ウィルソンが直接関与したわけではありませんが、DSのメディア支配が完成しました。NYタイムズやワシントン・ポストなどの主要新聞、三大ネットワークといわれるNBC、CBS、ABCの所有者はいずれもユダヤ系アメリカ人です。

以上がアメリカ1国にとどまっている限り、影響は少なかったでしょうが、DSやその代理人による欧米諸国に対する支配にまで発展していったのです。我が国も例外ではありません。現在の岸田政権はＤＳ支配をさらに徹底しようと闇雲に突進しています。

アメリカの愛国者とロシアとの協力

ウィルソン大統領までのアメリカにロシアが協力の手を差し伸べていたことは、意外に知られていません。米露の愛国者による協力関係は、トランプ・プーチン時代に緊密化しました。トランプが野に下った現在でも、両者の交流は続いていると思われます。２０２４年には米露の友好関係が復活することが予想されます。これについては後ほど述べるとして、ロシアのアレクサンドル１世とアレクサンドル２世のＤＳとの戦いに触れたいと思います。

先に述べたようにアメリカにおいて中央銀行創設の戦いが行われている時期、ロシアにおいてあくまで中央銀行創設を拒否したのがアレクサンドル１世でした。

ナポレオンのロシア侵略を撃退したアレクサンドル１世は、１８１５年のウィーン会議の一方の主役でした。他方の主役はロンドンのネイサン・ロスチャイルドでした。ナポレオンとイギリス軍とのワーテルローの戦いの結果がすべてを決めました。英軍勝利の情報を真っ先に摑《つか》んだネイサン・ロスチャイルドは、証券取引所に出向き沈痛な表情を浮かべながら、イギリス戦時公債を売り始めました。これを見て、我も我もと公債を売りに出したのです。ロスチャイルドは紙くず同然になった公債を今度は買い占めました。そこへ、英軍勝利の報が入り、戦時公債は急騰しました。ロスチャイルドは一夜にしてヨーロッパ随一の大富豪になったのです。

ヨーロッパ随一の富豪とは、ヨーロッパ随一の権力者を意味します。ヨーロッパを支配下に置いたネイサン・ロスチャイルドは、アレクサンドル1世に対し民間の中央銀行の創設を要求しましたが、拒否されました。それどころか、アレクサンドル1世はナポレオン戦争後の秩序として、キリスト教国が連携する神聖同盟を呼び掛け、オーストリアとプロイセンが参加しました。敬虔なロシア正教徒であるアレクサンドル1世は、戦争の根源は国家の反宗教性にあるとみなし、ヨーロッパの支配者はキリスト教の紐帯によって信頼関係を構築すべきであると主張したのです。このような国際秩序観は、ユダヤ教徒のロスチャイルドを刺激しました。かくしてロスチャイルドの逆鱗に触れたアレクサンドル1世は、10年後の1825年に視察先で不審死を遂げています。不審死といわれていますが、ロスチャイルドに暗殺された可能性は否定できません。

北軍を支援したロシア

リンカーン大統領が南北戦争に勝利してアメリカの分裂が回避されましたが、正面からリンカーンを応援したのがアレクサンドル1世の甥のアレクサンドル2世でした。アレクサンドル2世は、英仏が南軍を支援するならば、それはロシアに対する宣戦布告であるとして、北軍側について参戦すると警告し、ロシア艦隊をサンフランシスコとニューヨークに派遣したのです。アレクサンドル2世は、民間の中央銀行の設立要求に応ぜず、国立の中央銀行を設立しました。国際銀行家たちを敵に回したことは明らかです。

アレクサンドル2世は、ロシアの近代化のために農奴を解放するなどの開明的君主でした。それ故に、ロシア内の革命家たちの標的になり、1881年社会主義革命を目指す人民主義者（ナロードニキ）に暗殺されました。アレクサンドル1世、リンカーン大統領、アレクサンドル2世の不幸な死が偶然の重なりとは考えられないのです。

トランプの挑戦

さて、第2次世界大戦以降のアメリカ政治は、基本的にはDSが敷いた路線の上で展開されてきました。ケネディ大統領が暗殺されたり、ニクソン大統領が辞任させられたり、レーガン大統領の暗殺未遂事件がありましたが、これら3人の大統領はいずれも大統領候補としてDSの承認を得たのち、大統領任期中にDSと利害が衝突した共通性があります。ケネディ暗殺の背景については既述の通りですが、ニクソンはウォール街の国際金融家たちの税務調査に手をかけたこと、またレーガンはFRBの必要性に疑問を呈してボルカー議長と議論になったことが、理由として挙げられます。

2016年の共和党大統領候補になったドナルド・トランプ氏は、DSが承認した候補というより、ヒラリー候補に勝てるはずがないとして見逃された候補と考えられます。それほど、ヒラリーの勝利は揺るがないと考えられていました。DS系の世論調査も、選挙民誘導の狙いもあって、絶えずヒラリーの圧倒的優位を示していました。ところが、蓋を開けてみれば、トランプが競り勝ったのです。ヒラリー陣営は茫然自失といったところで、勝敗が明らかになってもヒラリーは敗北宣言をためらっていました。この段階で、メディアは開票状況の報道を停止して、ヒラリーに敗北宣言を促したのです。ヒラリーが重い腰を上げたのは、翌日の明け方でした。

アメリカ大統領選挙の開票は、どちらかが敗北宣言をしたところで事実上終了します。それだけ、敗北宣言は厳粛な行事なのですが、ヒラリーの最後まで渋った姿勢が、後のトランプ当選を認めない民主党やメディアなどの動きとなって表れたというわけです。多数の民主党議員は、トランプ大統領の就任式をボイコットしました。大統領就任式は単に個人としての大統領の就任式ではありません。アメリカ民主主義の原点である建国精神の伝統を引き継ぐ新たなアメリカ大統領の就任を祝う神聖な行事なのです。

だから、トランプ支持者だけでなく、トランプに投票しなかった有権者も出席するのです。それでこそ、国家の一体性が維持されるのです。民主的な選挙で選ばれた大統領を、すべての国民が祝福するという儀式です。トランプ大統領がアメリカを分断したのではなく、民主党議員たちがアメリカを分断したのです。2020年の大統領選挙で大規模不正により数字上は敗北したトランプ大統領が、潔く敗北宣言をしないことに非難が集中しましたが、ヒラリーのケースを忘れた民主党やメディアなどの醜態でした。

2021年1月20日のバイデンの大統領就任式は、アメリカ民主主義の葬式のような式典でした。たかが大統領就任式くらいでアメリカがだめになるのかと訝《いぶか》る方もおられるかもしれませんが、先に述べたように前政権から正統性を持った大統領職の引継ぎが必須なのです。それができなかったバイデン政権は、真の意味での船出を今現在に至るも行うことに成功していません。多くのアメリカ国民はバイデン政権を信任していないからです。

反トランプメディアが伝えるトランプの一般投票獲得数は、7400万票に上ります。これは２０１２年、オバマ大統領が２期目の選挙で獲得した票を１０００万票近く上回っているのです。常識的に考えてみても、何も選挙運動をしなかったバイデン候補が８０００万票もとれるはずがありません。郵便投票による積み増しや、ドミニオン集計機の操作などを知らなくても、感覚として何かおかしいと感じているアメリカ人が多数いるのです。しかし、反トランプ一色の既存メディアの前で、彼らは声を上げることはできません。たとえ沈黙を貫いていたとしても、国民の多数の心の中に拭い難い疑問がある限り、バイデン政権は国民の支持を受けることは不可能なのです。バイデン政権下におけるアメリカ社会の異常な混乱の元凶は、この不正選挙です。この不正選挙は、トランプ追放に貢献しただけでなく、アメリカ人の感情を歪《ゆが》めてしまいました。世界もバイデン政権の発言に、真剣に耳を傾けることが無くなったのです。アメリカ社会の正常化のためには、正当な選挙によって選ばれた大統領の就任まで、待たなければならないでしょう。

トランプのアメリカ・ファーストとは

トランプ当選時から、民主党もメディアもトランプ攻撃を強化しました。無事就任式を迎えられるか懸念されるほどでしたが、2017年1月20日の就任式におけるトランプ大統領の演説は、歴史に残る出来栄えと評価されます。今この瞬間から「アメリカ・ファースト」が始まると宣言して、「アメリカは世界の国々と友好と善意に基づく関係を築きますが、すべての国には自国の利益を最優先する権利があります。私たちは自分たちのやり方を他の誰かに押し付けたりはしません。輝く模範として見習われる存在になります」と世界に発信しました。

この演説文言は、上品な表現の中にもDSの世界戦略に対する批判が込められています。「アメリカ・ファースト、各国ファースト」は、DSの世界統一への最大の障害になるからです。世界の秩序を決めるのはDSでなければならず、アメリカ国家や世界各国であってはいけないのです。DSは「自由と民主主義」が普遍的価値であるとして、他国に押し付けてきました。この普遍的価値を共有する体制が、国際協調主義ということになっていました。ＤＳは国際協調秩序から逸脱したとみなした国を、容赦なく軍事攻撃してきたのです。共産主義との戦いとかテロとの戦いとか権威主義国との戦いとか、アメリカの主要メディアが、世界を洗脳してきたのです。

トランプ大統領は、すべての国が自国ファーストの原則に基づき、国民を主役とする独立主権国家として友好関係を結べばよいと訴えたのです。ＤＳと正面から衝突する主張でした。

4年間、さらに退任後現在に至るまで、メディアが歪めたトランプ像を正しておく必要があります。それによって、復活したトランプ大統領の世界戦略を占うことができるでしょう。

メディアは意図的にアメリカ・ファーストを孤立主義の表れと批判しました。既に見たように、トランプ大統領はアメリカ・ファーストの後に、必ず各国ファーストを付け加えていたのです。彼らは、いわゆるキャンセル・カルチャーの切り取りで、トランプの実像を正確に伝えませんでした。

トランプ大統領は2019年9月の国連総会演説で、出席した世界の指導者に向かって直接訴えました。平和を望むなら、自らの国を愛せよ、賢明な指導者は常に自国民と自国の利益を第一に考えるものだ、と各国ファーストを呼びかけました。私は国連総会での各国首脳の演説を聞いたことが何度もありますが、多くの場合、当該国の実績を披露しながら、世界情勢に対するコメントを述べるというスタイルが大半でした。コメントの中には、特定の国を批判する内容が含まれるのは普通でしたが、トランプのように、各国に対し自国民を大切にせよと求めた例は寡聞にして聞いたことがありません。従来のアメリカ大統領とは大きく異なる演説でした。

この国連演説は、トランプ大統領の世界観を如実に示していますので、そのポイントを紹介しておきます。

①国家の善政は愛国者のみ実現可能である。歴史に根差した文化に育まれ、伝統的価値を大切にする愛国者が未来を築くことができる。

②愛国者こそが、自由を守り、主権を維持し、民主主義を継続し、偉大さを実現できる。

③各国が自国を愛することによって、世界を良くすることができる。

④世界のリーダーがなすべきことは、祖国を建設し、文化を大切にし、歴史に敬意を払い、国民を宝とし、国を繁栄させ、道義性を高め、国民に敬意を払うことである。
⑤未来はグローバリストの手中にはない。未来は愛国者にこそある。未来は独立主権国家にある。このような国家こそ自国民を守り、隣国を尊重し、各国の特性に基づく違いに、敬意を払うことができるからである。
⑥アメリカが目指すゴールは、世界の調和（ハーモニー）である。独立主権国家が自国民を愛する統治を行えば、世界は調和することができる。

改めて解説する必要がないほど明確に、自らの世界観を伝えています。要するに、愛国主義者の指導者と国民の利害は一致すると言っているのです。この思想は日本の君民共治、ロシアの集団性体制（ソボールノスティ）と類似しています。民主主義の下では、残念ながら指導者と国民との利害は一致するどころか、相反することが殆《ほとん》どなのです。問題は、指導者と国民の間に利害対立がない政治体制は存在しないと長年考えられてきたことです。

有名なところでは、ユダヤ人思想家のジャン・ジャック・ルソーです。彼は『社会契約論』の中で、自分は君主と人民との間に利害関係のない君民共治を理想の政治体制と考えているが、そのようなものが地上に存在するはずがない。だから、やむを得ず民主主義を選ぶ、という趣旨を述べています。君主は人民が繁栄すれば、国が強くなるはずなのに、君主はそうしないのである、世界では、およそ君主なるものは、皆国民に対しては搾取者であると見られている、と嘆いているのです。

『日本人に謝りたい あるユダヤ人の懺悔』(沢口企画)を書いたモルデカイ・モーゼ氏は、このルソーの見解を紹介しつつ、「日本民族の持つ最大の財産は天皇制である。世界に類例がない偉大なもので、人類の理想である」とまで称賛してくれています。天皇制の本質を知った驚きとして、「地球上にユダヤ民族の理想が実在した」と告白している程です。今日でも、絶対的な善として批判がタブー視されている民主主義なるものは、君民共治の次善の代替物に過ぎないというわけです。民主主義絶対主義者や天皇廃止論者などが、一定の影響力を保持している我が国の現状を見れば、ルソーは「正気の沙汰か」と罵倒するのではないでしょうか。

ロシアのソボールノスティとは、国民が指導者との一体性を感じることによって、自らの存在意義を感得するという意味で、集団性と言われることもあります。ここにも、指導者と国民との利害の一致が見られるのです。

民主主義の仮面をかぶった専制主義

２０２４年は私たちが絶対善と信じ込まされてきた民主主義なるものが、実は専制主義であったことがわかり、世界の常識が激変する年となることが予想されます。民主主義の建前の下で、どのようにして専制支配を行うか、その秘訣は今から１００年前に公開されているのです。第１次世界大戦にアメリカを参戦させるため、国民の洗脳工作に従事した広報委員会のメンバーであったエドワード・バーネイズは、自著『プロパガンダ』(成甲書房)の中で悪びれずに告白しているのです。私たちが決して忘れてはならない文句ですので、以下に引用します。

「世の中の一般大衆が、どのような習慣を持ち、どのような意見を持つべきかといった事柄を、相手にそれと意識されずに知性的にコントロールすることは、民主主義を前提とする社会において非常に重要である。この仕組みを大衆の目に見えない形でコントロールできる人々こそが、現在のアメリカで『目に見えない統治機構』を構成し、アメリカの真の支配者として君臨している」

同書が出版されたのは1928年です。この時代にアメリカは既に大統領が真の支配者ではなかったのです。「目に見えない統治機構」こそ、アメリカの支配者だと宣言しているのです。「目に見えない統治機構」とは、読んで字のごとくディープステートのことではありませんか。DSがアメリカの真の支配者になったのが、ウィルソン大統領の時代なのです。アメリカを裏切ったウィルソン大統領は、今でも理想主義者として高い教科書的評価を受けています。

バーネイズが言いたかったDSの統治の仕組みは簡単です。私たちの意見は本当の自らの意見ではなく、DSが洗脳した意見であるということです。あたかも、自分の意見のようにふるまっているだけであると、喝破しているのです。具体的には、選挙行動です。自分の意見に基づき投票したと錯覚しているだけで、実はDSがメディアなどを使って導いた投票行動であるというわけです。そうなると、共和党、民主党という二大政党の存在意義はなくなります。二大政党の勝者はメディアが決めているのですから。ＤＳの十八番である「両建て主義」の意味がお分かりいただけたと思います。

そもそも両建て主義は、彼らの目に見えない支配の陰謀を隠すための手段です。現在のアメリカ政治でも、両建て主義が幅を利かせており、下院の多数を制している共和党もＲＩＮＯと言われる名ばかりの共和党員が少なからず存在しています。今般下院議長を解任されたケビン・マッカーシー氏もＲＩＮＯで、事実上民主党員なのです。レーガン大統領時代には、レーガン・デモクラットが多数存在しました。

かくして、アメリカに民主政治は存在していないのです。民主主義の仮面をかぶった専制主義国アメリカが、ソボールノスティ愛国主義のロシアを権威主義国だと侮蔑《ぶべつ》している現状は、噴飯ものです。バイデン専制主義政権である限り、アメリカ国民は建国の理想を取り戻すことはできません。

このようなアメリカ政治の欺瞞《ぎまん》を正すべく登場したのが、トランプ大統領でした。トランプ大統領は権力欲に駆られて大統領を目指したのではありません。ビジネスマンとして成功を収めたトランプ氏は、この成功を可能にしてくれた国家の恩に報いたいとして大統領を目指したのです。であったからこそ、私情を捨て、もっぱらアメリカ国家と国民のために奉仕したのです。

例えば、人種差別問題です。トランプ氏は黒人に冷淡だとメディアは批判しました。しかし現実は、トランプ政権下で黒人の生活水準は向上したのです。2020年の大統領選挙の際は、黒人票が大きく伸びました。黒人だけではありません。ヒスパニックやアジア系労働者の生活水準も向上しました。メディアが非難するように、トランプ氏は白人至上主義者ではありません。このような非難こそ、アメリカ国民を分断する悪意に満ちたものです。トランプ氏はそれまで分断されてきたアメリカ社会を、愛国精神の下に纏《まと》めようと努めてきたのです。以下の国民への呼びかけ（就任100日を記念する集会）が如実に示しています。

「私たちは偉大なアメリカの運命を共有する一人の人間であることを思い出す時が来ました。黒色でも、茶色でも、白色でも関係なく、私たち全員に愛国者の赤い血が流れていることを。私たちはアメリカ国民です。未来は私たちすべてのものです。アメリカを再び強くしましょう」

この一文だけでも、トランプ氏の国民に奉仕する姿勢が窺《うかが》えますが、いわゆる人気取りを狙った大衆迎合主義的な政策は一切行いませんでした。大衆迎合主義的政策を行うことは容易なことです。だから、現在でも、バイデン大統領や岸田総理はじめ多くの政治指導者は大衆迎合主義に走ってしまうのです。トランプ氏はあえて困難な道を選びました。ホワイトハウスを去るにあたっての別れのスピーチの中に、遺憾なく表れています。今でも、私の胸を打って止まない歴史に残るスピーチです。

「大統領として私の最優先事項として絶えず心にあった関心事は、アメリカの労働者と家族に最大の利益を齎《もたら》すことでした。安易な道を選ぶことではありませんでした。これまでで最も困難な仕事でした。私は最も批判の少ない道を選ぶことはしませんでした。厳しい戦い、大変困難な戦い、大変難しい選択に取り組みました。なぜなら、あなた方が私をそうするために選んだからです。あなた方が求めることが、私にとって最も重要で、また屈することのない関心事でした」

だからこそ、不正選挙で職を奪われても、アメリカ人を信用して、ホワイトハウスを去ることができたのです。

トランプ大統領は外交の達人だった

トランプ氏はビジネスマン出身者だから、外交は素人で危険だとみなされていました。しかし、トランプの外交は大変奥の深いものでした。一貫して戦争に反対の姿勢を貫きましたが、これは臆病なハト派的発想と揶揄《やゆ》されるものではありません。彼は、戦争の本質を良く弁《わきま》えていました。過去にアメリカの兵士が無駄な血を流してきた歴史を繰り返すことはしないとの固い信念を持っていました。

具体的には、イラク、シリアから主力部隊を撤退させ、アフガニスタンからもタリバンとの間で撤退交渉を進めました。バイデン政権はこの成果をうまく活用することができず、2022年に大混乱の内にアフガンから撤退したことは、私たちの記憶に新しいところです。それはともかく、トランプ大統領の任期中には、アメリカは新たな戦争に巻き込まれませんでした。ディープステートの戦争屋としては、アメリカが戦争をする度に巨額な利益を得てきましたが、トランプの治世下では資金源を失うことになったのです。

トランプは戦争が嫌いだから、戦争をしなかったのではありません。平和のためにはアメリカの軍事力を使うことに躊躇しませんでした。イランがよい例です。DSはイラン危機を利用してアメリカを世界戦争に巻き込もうと工作しました。2019年6月にアメリカ軍の偵察ドローンがイランに撃墜される事件が起こりました。トランプ大統領はイランに対し軍事的に反撃すると宣言しましたが、後に中止しました。その理由は、イランのハメネイ最高指導者が知らないうちに、革命防衛隊の中のDSの工作員が米イラン間の軍事衝突を狙って敢行したことがわかったからです。

これには類似の前例がありました。2015年11月に起きたトルコ軍機によるロシア機撃墜事件でした。プーチン大統領はネオコンの工作を見抜いており、トルコのエルドアン大統領を追い詰めなかったのです。確認はされていませんが、プーチンからトランプへ何らかの情報提供があったのかもしれません。2020年1月になってイラン革命防衛隊の精鋭コッズ部隊のソレイマニ司令官が、イラクのバグダッドで米軍の無人機攻撃によって殺害された事件と妙に辻褄《つじつま》が合うのです。ハメネイ氏にとってコントロールが効かなくなったソレイマニをトランプが殺害してハメネイに恩を売り、イランもトランプの深慮遠謀に応えて、アメリカとの軍事紛争を避けるようになったと解釈されるのです。

トランプ氏の平和攻勢として特筆すべきは、中東情勢の安定化のためにイスラエルとパレスチナ自治区の間で、和平交渉を進めるべく様々な手を打ちました。エルサレムをイスラエルの首都と認め、アメリカ大使館を西エルサレムに移転しました。歴代のアメリカ大統領が大使館のエルサレム移転を公約しながら実行してこなかったのに対し、トランプは勇断したのです。

トランプはエルサレム内の境界をどこに引くかはイスラエルとパレスチナの直接交渉で決めればよいとしており、東エルサレムまでイスラエル領と認めたわけではありません。アリカ大使館も西エルサレムの総領事館に移転しただけであって、パレスチナ側の立場を害しないように配慮しました。不思議なことに、このトランプの一連の措置に、パレスチナ側は沈黙を保ったことです

また、トランプはイスラエルとアラブ諸国の国交樹立に尽力しました。いわゆるア

ブラハム合意と呼ばれるものですが、２０２０年9月15日イスラエルとアラブ首長国連邦およびバーレーンとの間で国交が樹立され、続いてモロッコとスーダンとも国交正常化で合意しました。これらにより、イスラエルの安全は格段に高まったと言えます。次はサウジアラビアとの正常化が日程に上っていました。

現在イスラエルとサウジアラビアの国交樹立問題が論じられていますが、あたかもバイデン政権の功績のように報じられているのには、違和感を覚えます。トランプがイスラエルの安全保障を強化するために敷いた路線なのです。

以下で、去る10月７日に発生したハマスによるイスラエル奇襲攻撃を取り上げますが、トランプ大統領はネタニヤフ首相を批判しました。トランプは、イラン革命防衛隊のソレイマニを暗殺した際、ネタニヤフが難色を示したことに言及したのです。ネタニヤフがＤＳ側であることを示唆しており、この点にハマス奇襲問題の背景を解く鍵がありそうです。

ハマスによるイスラエル奇襲の背景

やはり歴史は繰り返しました。前述したように10月7日、ユダヤ教徒の大贖罪《しょくざい》日に当たるヨムキプールの日に、ガザを実効支配するイスラム原理主義過激派のハマスがイスラエルにロケット弾攻撃を仕掛けました。イスラエル政府や情報機関のモサドは、ハマスの奇襲攻撃の動きを把握しておらず、1000人以上のイスラエル人が死亡するという大惨事になったと報じられました。この報道に接したとき、私はやはり「歴史は繰り返した」との思いを強くしました。

50年前のヨムキプール戦争、第4次中東戦争の歴史の繰り返しです。1973年10月6日、ヨムキプールの日に、エジプト軍とシリア軍が突如イスラエルを軍事攻撃しました。不意を突かれたイスラエル軍は敗退を重ね、中東戦争史上初めてアラブ側が勝利したのです。態勢を整えたイスラエル軍の反撃で、戦況は一進一退を繰り広げましたが、エジプトとシリアが押し込んだところで停戦になりました。

ヨムキプール戦争の間、ＯＰＥＣは親アラブ諸国に対しては石油輸出を認めましたが、親イスラエル諸国には禁輸を実施し、世界的な石油危機が発生しました。日本はイスラエル寄りと判断されて禁輸の対象となったため、店頭からトイレットペーパーが消えるなど、日常生活を直撃しました。この騒動から数年後にキッシンジャーの回顧録を読んだ際、私は一連のシナリオを理解することができました。

キッシンジャーは回顧録の中で、自分は情報分析に失敗したと、珍しく反省の弁を述べています。キッシンジャーがなぜ自らの失敗を認めて、わざわざ記録に残したのかが、ヨムキプール戦争のからくりを解く鍵になったのです。キッシンジャーは、エジプト駐在のソ連軍人や家族が退避を始めた理由は、イスラエルからのエジプト攻撃が迫っているからと判断した。しかし、もしそうならソ連はアメリカに対しイスラエルに攻撃を思いとどまるよう働きかけを行ったはずだ、彼らはエジプトがイスラエルを攻撃するから退避したことに気づかなかった、と反省しているのです。

要するに、イスラエルはエジプトなどの攻撃を予測できなかったから、戦争に負ける事態になったと説明しているのですが、実態は攻撃を知っていたが知らないふりをしてイスラエルに負けさせたことを意味しているわけです。その結果、アラブ諸国は中東戦争で初めてイスラエルに打撃を与えたことになり、自信を深めたエジプトは数年後にイスラエルを国家承認し、ここに中東和平が進展したのです。

つまり、エジプトとイスラエルが国交を樹立することにより、イスラエルの安全保障を強化する目的で、奇襲攻撃を成功させたということになります。今回のハマスの奇襲攻撃も、イスラエル側は知らなかったとの情報操作がなされていますが、何か裏があるはずです。ウクライナ戦争でのDSの敗北と関連していることは、明らかです。

ウクライナから中東へ

2014年に始まったウクライナ・マイダン・クーデター後の展開が、歴史の繰り返しを示唆しています。親露派のヤヌコビッチ大統領を暴力デモで追放したディープステートの外交実践部隊ネオコン勢力は、ロシア系住民の虐殺を始めたため、プーチン大統領はロシア系住民が7割を占めるクリミアを併合しました。これに対し、アメリカが音頭を取ってロシア制裁を発動したのです。その後、東部ウクライナで虐殺を続けていたウクライナ政府は、７月17日、上空を飛行中のマレーシア民間航空機を撃墜して、これを親露派部隊の仕業と喧伝《けんでん》しました。しかし、親ロシア勢力がロシア製ミサイルを使って撃墜したとのウクライナ側の説明は矛盾が多く、撃墜された機体の損傷具合から、ウクライナ空軍機が撃墜したのではないかとの見方が強くなったのです。撃墜時の衛星写真を保有しているアメリカは、写真を公開しませんでした。

この事件の後、報道の関心はシリア情勢に移り、シリアにおけるアサド政権の非情な反政府勢力弾圧が世界の関心事になりました。その後、シリアにおけるイスラム国掃討作戦にロシアが参加し、シリアにおけるロシアの活動が注目を集めるようになったのです。ウクライナでの失敗を隠蔽《いんぺい》するため、世界の関心を中東に向けたのです。

つまり、歴史は繰り返し、今回のハマスのイスラエル攻撃は、ウクライナ戦争での敗北から世界の関心を中東に転化した作戦ということができます。ハマスはＤＳが中東のトラブルメーカーとして育成しました。弱体化したＤＳは世界を第３次世界大戦に巻き込むことによって、延命を図ったと見ることができるのです。しかし、今回の攻撃の背後にイランがいるとして、イランの脅威を強調している論調には注意する必要があります。イランのハメネイ最高指導者は、イスラエル殲滅を唱える革命防衛隊の過激な行動に手を焼いており、イスラエルとの戦争は避けたいと考えているからです。かつて、トランプ大統領はハメネイの立場をよく理解しており、既述の通り革命防衛隊指導者スレイマニを暗殺してあげたほどです。

ロシア・北朝鮮首脳会談の意義

ハマス奇襲を理解するために、世界の権力構造が大地殻変動を起こしたことを考慮に入れる必要が出てきます。第2部第1章で述べたように、9月13日のプーチン大統領と金正恩総書記との首脳会談は、DSが北朝鮮を手放したことを意味します。北朝鮮を世界のトラブルメーカーとして育成してきたDSが、北朝鮮の離脱を阻止できなかったのは、ウクライナ戦争敗北の結果余力が残っていなかったからと見られます。金正恩としても、北朝鮮がディープステートの駒として使われてきたことにこれ以上我慢ができなくなったものと考えられます。

トランプ大統領時代に、一連の首脳会談などを通じ金正恩は北朝鮮ファーストに傾いた様子が窺《うかが》えました。残念ながら、トランプ大統領の失職などの結果、実現しませんでしたが、今回の首脳会談が４年ぶりに開催されたことが重要なヒントになります。４年前とは、トランプ大統領の時代でした。プーチン大統領の伝統的価値観を重視する愛国主義政策に刺激されたのだと見られます。今回の首脳会談で、ウクライナ戦争におけるプーチンの姿勢を「偉業」とまで称えたことは、単なる外交辞令を超えた信念を感じます。金正恩はロシアと事実上の同盟関係に入ることにより、北朝鮮国民のための統治を実現しようとしていると見られます。

ナショナル・ユダヤVSグローバル・ユダヤ

以上を踏まえ、今回のハマス奇襲はナショナル・ユダヤVSグローバル・ユダヤの戦いの一環と見ることができます。イスラエル政府内に反ネタニヤフ勢力が存在しており、何かとネタニヤフのガザ攻撃を遅らせている様子が窺えるのです。イスラエルはガザ地上侵攻を行う前に、かなりの時間的余裕を与えているのです。しかも、ガザ地区の南部を攻撃対象から外し、パレスティナ人に南部への避難を呼び掛けています。つまり、パレスティナ人を攻撃するのではなく、DSが育成し、ネタニヤフがアッバス議長を牽制するため利用してきたハマスに照準を定めています。この点に、今回の地上部隊によるガザ侵攻の真相がありそうです。ナショナル・ユダヤは将来のアッバス指導のパレスティナ国家との共存を視野に入れているのです。これこそ、ユダヤ人国家イスラエルの安全保障の強化そのものです。その際のイスラエル国家の指導者はセム族のユダヤ人であることが想定されます。アラブ人と義兄弟であるセム族のユダヤ人です。

これに対し、グローバル・ユダヤはイスラエルの安全よりも、世界戦争戦略に重きを置いていました。イスラエルを世界戦争のための駒として利用するという戦略だったと言えます。

彼らのこの方式も、ウクライナ戦争敗北で通用しなくなりました。プーチン大統領はネタニヤフ首相のパレスチナ人への態度を批判しており、仲介の用意がある旨宣言しています。トランプ大統領がネタニヤフ首相のスレイマニ暗殺作戦に反対したとの故事を今このタイミングで持ち出したことは、ネタニヤフ退陣を求める圧力とも考えられます。ネタニヤフ首相がグローバル・ユダヤに軸足を置いている限り、イスラエル国家の安全は不十分なのです。

以上のように、いま世界はグローバル・ユダヤのＤＳから距離を置きつつあります。グローバリズムではなくナショナリズムの時代が到来したのです。岸田総理も、早くこの現実に気づいてほしいものです。そうでなければ、バイデン・グローバル・ユダヤ政権とともに沈むことになるでしょう。

２０２４年の米大統領選挙はどうなる

いよいよ２０２４年11月５日に米大統領選挙が行われます。共和党はトランプ候補で事実上決まっており、民主党はバイデンが再選を目指すと発表しています。ところが、２０２３年10月になって、それまで民主党で指名争いに立候補していたロバート・ケネディJr（以下ＲＫＪ）が、無所属で立候補すると宣言しました。この動きは、アメリカ政治の流れを根本から変える可能性を秘めたものと言えます。来年の米大統領選挙は、ＤＳ支配からアメリカが脱出できるかどうかの試金石になることは間違いないでしょう。

別の視点から言えば、１９１２年の大統領選挙の再来と言えます。先に見たように、この選挙は、ウォール街のキングメーカーたちがウィルソンを当選させるために仕組んだ不正選挙でしたが、しかし、今回のＲＫＪの無所属出馬は、従来の二大政党候補による出来レース方式を覆す、革命的結果をもたらす可能性が出てきたと言えるのです。

バイデン、トランプ、ＲＫＪの三つ巴の戦いとなった場合、ＲＫＪがケネディ神話もあって民主党票をかなり食うことが予想されます。トランプの岩盤支持層を崩すまでにはいかないでしょうから、バイデンは大変不利になるでしょう。さらに重要なことは、２０２０年のような大規模不正ができなくなることです。トランプだけでなくＲＫＪに対しても不正を働かなければなりませんが、ＤＳの弱体化もあって、これは事実上不可能となりました。

１９１２年の三つ巴の戦いが如何にウィルソンに有利に働いたかを見ますと、キングメーカーの巧妙な計算を見て取れます。一般投票の獲得数は、ウィルソン42％、ルーズベルト27％、タフト23％でした。反ウィルソン票が50％もあったのです。42％対50％の差があれば、選挙人獲得数で大勝した計算になります。共和党が分裂していなければ、現職タフトの圧勝だったわけです。２０２４年の戦いで、ＲＫＪがどれだけ獲得するかは未知数ですが、１９９２年のロス・ペローが参戦した大統領選挙が参考になります。

東西冷戦を終わらせ、湾岸戦争に勝利したジョージ・ブッシュ大統領は一時世論支持率90％を謳歌していました。再選は楽勝と見られていましたが、テキサス州の大富豪ロス・ペローが無所属候補として名乗りを上げました。一般投票数で見た三者の結果は、クリントン43％、ブッシュ37・5％、ペロー19％でした。ペローとブッシュの合計は56・5％に上ります。これだけ一般投票で差が出れば、クリントンの当選は不可能でした。ペロー出馬の背景には不透明な部分がありますが、ブッシュがイスラエル人のパレスチナ地区への入植問題に消極的だったことが取りざたされました。

いずれにせよ、ＲＫＪの無所属出馬は、特定の勢力の支援を受けたものではないので、従来の三つ巴の戦いとは違った効果が期待されます。今回の大統領選挙を契機に、民主、共和の二大政党制が崩壊する可能性が高くなりました。ＤＳの「両建て主義」が崩れ、アメリカ国民は真の民主的選挙を取り戻すことができるでしょう。

共和党はトランプで決まりとはいえ、これからＤＳが巻き返すことが予想されます。お決まりのＲＩＮＯを使った揺さぶりです。早速、ＲＩＮＯの有力者、デサンティス・フロリダ州知事がトランプ批判を強めています。ネオコンのブッシュ家に育てられたデサンティスは、ＤＳのトランプ潰しの切り札となる可能性があります。

トランプはあくまで共和党候補として選挙に臨む道を選びました。そこで、副大統領候補を誰にするかに関心が集まっています。現在のところ、アリゾナ州知事選で不正選挙のため敗れたカリー・レーク女史が有力と言われていますが、まだ決まってはいません。白人男性以外が副大統領候補になることは間違いないでしょう。

いずれにせよ２０２４年の大統領選挙は世界の権力構造を根本的に変えてしまう分

岐点となることは間違いありません。ロシアの大統領選挙は2月に予定されており、プーチン大統領の当選は揺るがないでしょう。２０２４年こそプーチンとトランプが命を懸けて戦ってきたＤＳに最終的に勝利する年となることが予想されます。

不確定要素があるとすれば、中国とＤＳとの関係です。第2部第4章で分析します。

第4章　中国共産党は生き延びられるか

中国は超大国にはなれない

前著『2023年世界の真実』（ワック）においては、「習近平体制は2025年まで生き残れるか」とのタイトルの下に、最大の紙幅を割いて論じたほど、2022年における習近平主席の傍若無人振りが目だっていたのです。中国共産党の一党支配は2025年に終わると公言したのは、DSのヨーロッパにおける広告塔のジャック・アタリでした。

アタリはその根拠を明確には示していません。ただ、どの政権も70年以上は持たないと述べているだけです。しかし、このさりげない言葉に、中国共産党政権の歴史が刻まれているのです。結論を言えば、共産中国はアメリカDSが作ったのです。自ら作ったものは、自ら壊すことができるというのが、アタリが言わんとしたことでした。

１９４９年10月1日の建国以来、中華人民共和国はアメリカのおかげで成立した事実に、世界は目隠しをされてきました。だからこそ、多くのチャイナ・ウオッチャーたちは中国共産党と中国市場を同一視して論じることができたのです。だから、彼らは10年以上も前から、いまにも中国は崩壊する、中国の余命は数カ月などと論じることができたのです。しかし、彼らの予言にもかかわらず、現在に至るも中国は崩壊していません。

このように、中国に関し否定的な情報を流してきたにもかかわらず、彼らの中には中国を訪問して、その現地取材まで行える者たちも存在しています。なぜ、こんな危険なことが可能なのか、その理由を考えるだけでも、中国共産党の得意な孫子の兵法に気づくことが可能になります。

あえて述べますが、現在の我が国のチャイナ・ウオッチャーの中に、弱体中国を強調することによって、実は中国の日本浸透に油断させるという中国共産党の宣伝工作を行っている輩がいるということです。また逆に、中国脅威論を唱える輩にも要注意です。それは知らず知らずのうちに、中国に物申すことを諦めさせる効果を狙った巧妙な工作であることを見抜く必要があります。日本国民が、このような工作を見抜く知恵を持つことが、総合的な国防力強化につながるわけですから。

本書では中国共産党支配の終焉が迫っていることを論じます。しかし、そのことは巨大市場である中国が崩壊することを意味しません。チャイナ・ウオッチャーには申し訳ありませんが、中国は滅びないのです。10月29日付産経新聞は、中国経済の不調に関し識者の見解を掲載していますが、その中でアメリカン・エンタープライズ研究所上級研究員のデレク・シザーズ氏は、長期的にはともかく、現在の中国経済に差し迫った危機はないとして、不動産問題は経済への重荷だが、政府が金融をコントロールできるので、リスクではないと強調しています。

２０２４年以降の問題は、だれが中国という巨大市場を支配するかであって、これから中国市場の支配を巡り中国国内で様々な権力闘争が行われることになりそうです。

この権力闘争の行方を左右するのが、ＤＳの動向です。ＤＳは勢力が弱ったとはいえ、最後の砦である中国を軽々に手放すとは考えられません。むしろ、中国をＤＳ側に留めるために、現在卑屈とも思える姿勢で中国にすり寄っているのです。最近の一連のバイデン政権閣僚の中国詣でや、習近平主席とバイデン大統領との首脳会談の実現を画策する動きからは、中国におけるビジネスチャンスを失うことだけは避けようとの必死な思いが透けて見え、かえってＤＳの黄昏《たそがれ》を感じてしまいます。来る11月中旬にサンフランシスコで行われるＡＰＥＣ首脳会議の際に、米中首脳会談が実現する運びになりましたが、アメリカ側が守勢であることが、改めて明確になりました。

中国脅威論が依然として根強い昨今ですが、ＤＳにとって最後の砦である中国は、決して超大国にはなれないという事実を読者の皆様と共有しておきたいと思います。この点は極めて重要で、中国脅威論を唱える輩は中国があたかも超大国であるかのように宣伝していますが、ためにする工作のにおいが抜けません。意図的か無意識かに拘《かか》わらず、孫子の兵法に言う「戦わずして勝つ」洗脳を行っていると見られるからです。

昨今の台湾有事論にも、この視点がすっかり抜けています。アメリカの戦略国際問題研究所（CSIS）のシニアアドバイザーで歴史学者のエドワード・ルトワックは、中国が超大国になれない理由に食料を自給できない点を挙げています。加えて、中国はエネルギーも自給できませんから、米露に並ぶ超大国にはなれないのです。前述したジャック・アタリも中国は超大国になれないと断言しています。中国は大国としてふるまうには根本的に脆弱《ぜいじゃく》なのです。中国共産党の宣伝工作の目的が、この弱さを隠すことにあると見ることが必要です。経済的に巨大化したため、周りから大国としての度量を求められていますが、中国はこの要求に応じることは不可能なのです。

この制約から考えると、台湾侵攻はないことが容易に考えられます。たとえ台湾に軍事介入したとしても、食料とエネルギー不足から、台湾内の中国軍を持ちこたえさせることができないわけです。

このような兵站《へいたん》上の隘路《あいろ》よりも、台湾侵攻が起こらない根本的な理由があります。1950年のアチソン国務長官演説によって、台湾はアメリカの防衛線の外に置かれたのですから、この時点から中国のものなのです。習近平にとっては今更台湾に軍事侵攻しても、もともと中国のものだとDSが認めているのですから、自分の手柄にならないのです。現在、我が国ではあたかも台湾有事が差し迫っているかのような議論が行われていますが、一方でウクライナに対するDSの支援を応援しながら、台湾有事が迫っていると騒いでいる魂胆は、我が国の軍事費の増額を求めるための姑息な口実と見られても、仕方ないでしょう。日本有事については、最終章で論じる予定です。

毛沢東も蔣介石も同罪

中華人民共和国を作ったのはDSですが、アメリカ人の多くは、台湾の蔣介石は民主主義者であると誤解しています。この傾向は、現在では中国人の生活水準が上がれば、おのずと民主化に向かうであろうとの儚《はかな》い誤解に繫がっています。中国の指導者はすべて人民を搾取《さくしゅ》する独裁者なのです。人民の側も自分たちを愛してくれる指導者が出るとは全く期待していません。期待どころか、そのような発想すらないといったほうが適切でしょう。中華帝国5000年の歴史は、独裁者皇帝と搾取される人民の歴史であったのです。

第2次大戦後に勃発した国共内戦を検証すれば、中国がこの歴史の桎梏《しっこく》から逃れることができない宿命にあることが、改めて明白になります。習近平後の中国を占う視点からも、毛沢東と蔣介石が人民搾取の観点で見れば同罪であったことを十分弁《わきま》えて議論する必要があるのです。

そこで、中華人民共和国の生みの親であるアメリカのジョージ・マーシャル陸軍参謀総長と蔣介石の軍事顧問アルバート・ウェデマイヤーの確執から見てゆきます。ウェデマイヤーは回顧録『第二次大戦に勝者なし』（講談社学術文庫）の中で、マーシャルが毛沢東に甘かったと指摘しつつ、疲れていたから判断を誤ったのだろうと、上官を一応擁護しています。

ウェデマイヤーの前任者のジョセフ・スティルウェルはマーシャルが任命しました。スティルウェルは蔣介石の軍事顧問でありながら、アメリカのニュー・ディール派と同様、中国共産党は中国に民主主義を齎《もたら》す勢力であると称賛する一方、蔣介石一派は米国が支援した武器で日本軍と戦わず、民主主義勢力の共産党と戦っていると批判していました。蔣介石顧問という立場を無視し、蔣介石よりも毛沢東を評価するスティルウェルが蔣介石の要求で解雇されたのは当然のことでした。スティルウェルを任命したマーシャル将軍が何のお咎めも受けていないことに、闇の深さを感じます。

ファシズムより共産主義の方が巨悪

ウェデマイヤーは、マーシャルを弁護しつつも、共産主義の方がファシズムより巨悪であるとして、ヒトラーと戦争するためにスターリンと組んだルーズベルト大統領を批判しています。ということは、ルーズベルトの下で戦争指導に当たったマーシャル将軍を間接的に批判していることになります。自らの回顧録の中では、マーシャルを正面から難詰することは避けましたが、真意はマーシャルが間違っていたことを指摘したことになります。その間違いが故意だったのか、それとも偶然だったのか。おそらく故意であったとウェデマイヤーは考えていたのでしょうが、当時のトルーマン大統領の下ではマーシャル批判を控えざるを得なかったものと推察します。

このウェデマイヤーの姿勢は、先に朝鮮戦争の項で述べたマッカーサーの疑問に通底するところがあります。なぜ、アメリカ政府の最高指導部は共産主義と戦うことに積極的でなかったのか。ウェデマイヤーの疑問は、蔣介石の軍事顧問という立場を超え、多くのアメリカ人の疑問でもあったはずです。

実際、マーシャル将軍は国民党へのアメリカの武器援助の実施を故意に遅らせ、蔣介石に共産軍との停戦と連立政権の樹立を主張しました。このため、せっかく満洲で毛沢東の共産党軍を壊滅寸前にまで追い詰めていた蔣介石は仕方なく停戦し、共産党の延命に道を開いたのです。マーシャルがこのような行動をした背景として、共産主義シンパであったとか、コミンテルンのスパイに騙されたとかの解説は、説得力がありません。トルーマン大統領の背後に強力な勢力が存在していたと考えることによって、縺《もつ》れた糸が一つに繋がるのです。

マーシャルとソ連

そのヒントは、ソ連外相アンドレイ・グロムイコの回想録（既出）に見出すことができます。マーシャル将軍はソ連にとってヒトラーと戦った同志ではありましたが、戦後は西ヨーロッパ復興のマーシャル・プランの創設者として、共産主義の拡大を防止した好ましからざる敵対者と映っていたはずです。ところが、グロムイコはマーシャルを評価しているのです。

「ジョージ・マーシャルの重要性は、テヘラン、ヤルタ、ポツダムの各会談に参加した事実からわかる」として、アメリカはマーシャルの権威のおかげで戦場で勝利することができた、マーシャル・プランの目的は、資本主義を安定させ、社会主義化を阻止することだった、マーシャルはNATO創設のリーダーとなり、国防長官として政治経歴を終えた、と縷々《るる》述べた後、「マーシャルには外交官のモーニングコートも軍服もともによく似合ったようだ」と、マーシャルは政治家としても、軍人としても立派だったと褒《ほ》めているのです。つまり、マーシャル将軍はソ連の信頼できる仲間であったと示唆しているわけです。

もちろん、アメリカの中にもマーシャルの胡散《うさん》臭さに気づいた人がいました。赤狩りで有名なジョゼフ・マッカーシー上院議員です。彼は1951年に『共産中国はアメリカがつくった』(成甲書房)を出版しましたが、その中で、グロムイコだけでなくスターリンもマーシャル将軍を称賛していたと述べているのです。マッカーシーによれば、当時のバーンズ国務長官が自著『率直に語ろう』(Speaking Frankly)の中で、「スターリンはマーシャル将軍を称賛して、中国問題に決着をつけられる人間はマーシャル以外にはいないと言った」との個所を引用して、「スターリンは正確にはこう言ったかもしれない。自分が満足できるようにと」と続けています。いずれにせよ、スターリンもグロムイコも、国共内戦時の処理をマーシャルに任せていたことが窺えます。マーシャルがソ連の意向に沿った解決をしてくれるとの信頼からです。

マッカーシーはもう一つ重要なことを語っています。それは、南京戦に敗れた蔣介石を重慶まで逃し、日本と最後まで戦えと圧力をかけたのはアメリカだと公言しているることです。太平洋や極東の米軍を倒すために日中は停戦すべきだとの日本の申し出を、無視せよと蔣介石に嗾《けしか》けたのはアメリカなのだ、だからアメリカは蔣介石には借りがあるというのが、マッカーシーの考えでした。

ウェデマイヤーが呆れた蔣介石支援

ウェデマイヤーは１９４５年11月に中国での任務を終え帰国しました。彼が蔣介石に提出した報告書には、驚愕すべき内容が書かれていました。トルーマン大統領には、駐留アメリカ軍を早期に撤兵させるよう圧力がかかっていると述べた後、アメリカの中国政策として次のように説明していました。

①蔣介石政府が共産党軍の制圧に乗り出したら、蔣介石政府への支援を打ち切る。
②アメリカ政府は中国軍同士の争いに関与しない。
③毛沢東軍に対抗する蔣介石政府の活動も支援しない。
④蔣介石が共産党征伐を進めれば、蔣介石への支援を停止する。
⑤中国に統一政府を要求する。

ウェデマイヤー帰国後、トルーマン大統領特使として中国に赴いたマーシャル将軍が、これらの方針に従い蔣介石を敗北させたことは、記述の通りです。なお、ウェデマイヤーにはもう一度巻き返すチャンスが巡ってきました。共産中国の危険を警告した報告書は、なぜか国務省が握りつぶしたため、日の目を見ることはありませんでした。たとえ、報告書が公表されていても、大勢を動かすことにはならなかったと思われます。トルーマン政権の共産主義に対する甘い姿勢が第2次世界大戦後のアメリカの基本方針でした。

日本と戦うときにはアメリカの全面的な支援を受けていた蔣介石ですが、国共内戦時にはアメリカの世論そのものが蔣介石や妻の宋美齢に対し、手のひらを返したように冷淡になっていたのです。蔣介石に同情したくなるのが人情かもしれませんが、蔣介石も中国人民を搾取することにおいてはひけをとりません。

その例の一つが、1935年11月の支那幣制改革でした。中国民衆が保有していた虎の子の銀を吐き出させて、代わりに蔣介石政府の紙幣と交換させたのです。いうまでもなく、蔣介石政府紙幣など何の価値もありません。加えて、交換比率が銀1に対し紙幣はわずか0・6でした。価値のない紙幣の方が高く評価されたという、子供だましのような荒業でした。そもそも、このような荒業を考え付くこと自体、人民は搾取の対象でしかあり得ない、中国指導者による人民支配の伝統に基づくものだったとみられるのです。この幣制改革を利用して、上海ユダヤ財閥のサッスーンはイギリス市場で銀を売り捌《さば》いて、巨額の利益を得ました。蔣介石や、彼の後ろ盾であった宋子《そうし》文《ぶん》一族も同様にイギリス市場で銀を売却して、巨利を得たのです。イギリス市場の銀価格は中国の1・8倍でした。中国民衆から取り上げた銀をイギリス市場で売却すれば、労せずして2倍近く儲かったわけです。哀れなことに、中国民衆はこのからくりを知ることはありませんでした。国共内戦でアメリカが後ろ盾の毛沢東に敗れた蔣介石に、同情する気持ちはありません。当然の報いと言いたくなります。

この儲け話には、アメリカのユダヤ財閥もかんでいました。ウィルソン大統領を操り、DSのアメリカ乗っ取りを画策した張本人、バーナード・バルークです。『操られたルーズベルト』の著者カーティス・ドールは、バーナード・バルークとの会話を残しています。1933年のことですが、バルークは世界に流通している銀の16分の5を保有していると語ったのです。ところが、その後「アメリカ連邦議会が銀購入価格を2倍に値上げする許可を財務省に与えた」とのニュースを聞いて驚いたと、ドールは述懐しています。この結果、アメリカの銀価格は2倍に高騰し、バルークが大儲けしたことは多言を要しません。当時の中国は銀本位制でした。大量の銀が中国市場から流出して、蒋介石政府は財政危機に陥りました。ここで、前述した幣制改革が行われたのです。米、中、英のユダヤ財閥が蒋介石と協力して、中国人民を収奪したのです。

外国勢力と手を組んで中国人民を搾取するパターンは、現在の習近平政権の下でも繰り返されています。誰が中国の指導者になっても、人民は搾取の対象でしかないのです。残念なことではありますが、これが中国という巨大マーケットの真実です。現在、落ち目のDSが、何としてでも中国市場だけは手渡さないと中国指導部との連携に努めているのは、自分たちの利益のためには他人を搾取しても心が痛まない発想を共有しているからです。

中国人とロシア人は水が合わない

さて、ウクライナ戦争勃発以降、中国の対露態度が注目を集めており、「中露の蜜月」などと言った過激な報道が行われています。果たして中露はそのような関係にあるのでしょうか。経済力で圧倒的な優位にある中国が、ウクライナ戦争で疲弊しているロシアを内心では見下しているとか、対露制裁下にあるロシア経済は中国の支援なしには成り立たない等々の報道がメディアを賑わせています。しかし、先に見たように、中国は超大国にはなり得ないのです。とすれば、如何に超大国ロシアが現在苦境にあるとしても、超大国でない中国の軍門に下ることはあり得ないのです。エネルギーと食料を自給でき、中国の30倍ほどの核弾頭を有するロシアが、委縮して中国のご機嫌をうかがうことは考えられません。

中露関係を見るとき、この現実を絶えず考慮に入れておく必要があります。参考になるのは、中華人民共和国成立後の最初の毛沢東とスターリンの会談です。毛沢東は1949年12月から50年の2月までの長期間にわたりソ連を訪問し、中ソ同盟条約が締結されました。グロムイコは、晩餐会に並んで座った両首脳の間でほとんど会話が行われず、たまに交わされた会話も大変ぎこちないものであったと回想して、「二人には必要最小限の接触をするだけの共通した個人的性格が欠けている」との印象を吐露しています。「前夜の両巨頭の間には大して心の通い合いがなかった、というのが翌日の同志たちの意見であった」し、毛沢東の滞在中、ずっと同様の雰囲気だった、と振り返っています。

中国人とロシア人（スターリンはグルジア人ですが）は、水と油のごとく性格が合わないのです。通常、自分より弱い相手には高圧的態度をとり、強い相手には遜《へりくだ》る中国人が、現在ロシアに対して高圧的態度を控えているのは、ロシアの真の実力を見越しているからと考えられます。ウクライナ戦争で中立を保っている習近平を批判しているアメリカや日本のメディアは、中国から軽く見られているのでないかと思われます。

安倍元総理が喝破した「習近平は共産主義者ではない」

私たちは中国共産党総書記の習近平を共産主義者と見る傾向にありますが、習近平は共産主義者ではありません。リアリストなのです。現在の中国を見るうえで、この点は極めて重要です。習近平と長きに亘《わた》り関わってきた安倍総理は『安倍晋三回顧録』の中で忌憚《きたん》ない習近平評を語っておられます。以下そのポイントです。

①中国の指導者と打ち解けて話すのは、自分（安倍氏）には無理だ。

②習近平は首脳会談を重ねるにつれ、徐々に本心を隠さないようになってきた。

③習近平は、もし自分が米国に生まれていたら、米国の共産党には入らず、民主党か共和党に入党すると言った。政治的な影響力を行使できない政党では、意味がないということだ。

④建前上、中国共産党の幹部は、共産党の理念に共鳴して党に入り、その後、権力の中枢を担っていることになっている。

⑤習近平発言からすれば、彼は思想信条ではなく、政治権力を掌握するために共産党に入ったということになる。従って、習近平は強烈なリアリストである。

⑥中国首脳にとって、日本とあまり近づくことは、危険である。胡耀邦《こようほう》総書記は、首脳会談において中国共産党の人事にまで言及するほど、中曽根首相と緊密な関係を築いていたが、その後失脚した。

⑦習近平の振る舞いの変遷を振り返ると、彼は昇り竜だったが、孤独感はすごくあると思う。独裁政権はある日突然倒されるのだから、習近平が感じているプレッシャーの大きさは、我々民主主義国家の首脳の想像を超えている。彼らは、政敵を倒し続けないと生き残れない。

以上の中で、重要なのは③と⑤です。要するに、習近平は政治権力にあこがれているのであって、共産主義者ではなくリアリストである、との指摘です。これこそ、多くのチャイナ・ウオッチャーに欠けている視点で、メディアの洗脳に簡単に篭絡されてしまうことになるのです。

異形国家・中国を敬遠しよう

以上の安倍総理の見解は、いずれ来る習近平なき後の中国を予想する上で、大変参考になります。中国という市場を誰が支配するかというのが、ポイントです。おそらく、1920年代の9カ国条約時代の状況に戻るのではないかと考えられます。中国国内では次期皇帝を目指した権力闘争が跋扈《ばっこ》し、各国は中国市場の独占を阻止するために、虚々実々の駆け引きを行うといった構図です。習近平がいつ失脚するかは予想が困難ですが、それによって中国そのものが大きく変わることにはなりません。中国はいつになっても皇帝が人民を搾取することによって国が成り立つ宿命にあります。中国問題は、中国人自身がこの宿命を打破すべきだとは考えていないことです。世界の異形国家中国はいつまで経っても変わらないのです。

私たちは、この前提の下で、中国との付き合い方を考えなくてはなりません。黄文雄氏が強調するように、「敬遠」は一つの選択肢です。中国の脅威に備えつつ、中国には深く関わらない、という軸を失わずに、日本の舵取りを行うべきです。

最終章　あとがきにかえて――どうする、岸田総理

岸田文雄総理への手紙

拝啓　岸田文雄内閣総理大臣閣下
黙っていられなくなって、ここに一筆申し上げます。
岸田総理、今日は日本のどの部分を破壊されましたか？　国民の多くが岸田政権のことを売国政権と揶揄《やゆ》しているのは、当然ご存じですね。しかし、馬耳東風、何も反応しない岸田政権の厚顔ぶりに、私は言葉を失っております。
大東亜戦争終了後から今日までの78年間、歴代総理の実績を振り返れば、失政や左

翼イデオロギーに染まった政策など、数々見られましたが、意図的に国民に敵対し、日本そのものを破壊した総理大臣は、岸田さん、あなた以外にはいませんでした。

岸田さん、いったい何を恐れているのですか？　関心はご自分の政治生命の維持だけなのですか？　政界に打って出られた時、命を懸けて国家と国民を守ろうという、崇高な使命感を持って、永田町入りされたのではなかったでしょうか。

声なき国民は、たとえ好き嫌いはあったとしても、日本の総理たるもの、最後は国民を守ってくれると信じているのです。聖徳太子の17条の憲法にあるように、国民は「詔《みことのり》を受けては、必ず謹《つつし》む」のです。上からのお達しには、必ずそれに従うというDNAが流れています。

文豪・森鷗外が、短編『最後の一句』で書いているように、「お上のことには、間違いはございますまいから」、国民は総理を信じているのです。これまで破壊に努められたことをすぐに取り戻すのは、時間的に無理があるかもしれません。

しかし、岸田総理、政治家としての人生の終わりを迎えるにあたって、せめて国民に対する最初で最後のご奉公として、国民のために命をささげていただきたい。

それが、これまでの日本破壊という国民への裏切りを、贖《あがな》うせめてもの誠意ではないでしょうか。私たちは、総理の最後の誠意を信じます。総理のなさることには、間違いがないはずだからです。

岸田総理、僭越ながら以上を申し述べて、本書のあとがきとしたく存じます。2024年以降、日本が生き残れるか否かは、岸田総理、あなたの人間としての決断にかかっているのです。一刻も早い決断を切にお願い申し上げます。私のひとり語りに耳を傾けてくださいまして、本当にありがとうございました。

岸田政権の日本破壊の数々

ところで、読者の方々の中には、岸田総理の日本破壊政策を信じられないと感じておられる方も、少なくないと思います。そこで、岸田政権の最近の日本破壊の例を、LGBT法と移民問題に絞って検討します。

日本の破壊とは、我が国の伝統的価値観を悉《ことごと》く無視して、グローバリスト連中に日本を売り渡している政策です。問題は、無意識に実践しているのではなく、唯々《ただただ》ディープステートの指示通りに動いていることです。そこに、大和心《やまとごころ》のかけらも感じられません。グローバリズムという漢心《からごころ》に絡めとられた政権の虚《うつ》ろな姿です。グローバルな交流が当たり前の今日の世界において、我が国のグローバル化を図る政策が必要としても、日本という軸がなければ漂流するだけになってしまいます。軸を喪失した現在の日本は、国難の真最中にあります。以下、国難の正体に迫りたいと思います。

LGBT問題の罠

最近の例として挙げられるのは、ＬＧＢＴ理解増進法の制定です。Ｇ7広島サミットへのバイデン大統領の出席を人質に取られ、法案の内容を十分詰めないままあわただしく国会に提出され、野党案と合体して成立させました。

ＬＧＢＴ問題は個人の性嗜好という最もプライベートな分野にかかわる問題であるだけに、そもそも法律をもって個人の嗜好を一定の枠にはめてしまうことは、何と弁解しようとも、個人の生き方そのものに対する挑発です。差別のなかった日本に強制的にＬＧＢＴ被害者を仕立て上げ、正常なマジョリティとの対立を法律によって固定化したのです。自称Ｔ（トランスジェンダー）に対して女性の権利を守るための諸施策の必要性が云々されること自体、この法律が無理筋であることを証明しています。結局温泉旅館など現場レベルに降ろされて、混乱を招くことが既に目に見えています。

いやしくも個人の自由な生き方が憲法上の権利として保証されている我が国においては、ＬＧＢＴ法は憲法に抵触する恐れのある重大問題なのです。にもかかわらず、日ごろ人権にうるさい左翼政党の国会議員たちは、今回なぜ沈黙を保っているのでしょうか。ＬＧＢＴ法の懸念の一つは、教育現場における混乱です。少なくとも、小中学生にＬＧＢＴ教育を施《ほどこ》すことは学校側と保護者との間に軋轢《あつれき》を生む可能性が高いでしょう。ＬＧＢＴ教育を巡って、社会の分断が進む危険が予想されます。憲法が保証する正当な教育を受ける国民の権利が侵害されることになるのです。

注目すべき点は、ＬＧＢＴ法は異次元の少子化対策を打ち出している岸田政権の目的と真っ向から矛盾することです。アメリカの過激黒人団体「Ｂｌａｃｋ Ｌｉｖｅｓ

Matter」（ブラック・ライブズ・マター）は綱領でLGBT、とりわけTを重視しており、その理由はアメリカ人にヘテロセクシャル（異性愛）に対する関心を萎えさせることにあると謳っています。つまり、子供を作ることに関心を無くさせることです。巧妙な人口削減策の実施なのです。岸田政権は少子化対策といいながら、現実には少子化推進策を実行しようとしているのです。この深刻な矛盾に岸田政権は気づいていないように見受けられます。気づいていないというより、気づく必要がないとみているのかもしれません。LGBT法が少子化を促進することになるかもしれないと考えることを、頑《かたく》なに拒否しているように思えてなりません。さらに言えば、両者の関係を正面から取り上げることは、国民の身になって考えることを意味するので、日本を破壊するためにはそのような迷いがあってはいけないと、自らに言い聞かせておられるのでしょう。このように、頭から国民を愚弄《ぐろう》しても、良心が痛まないとするなら、私たちの想像を絶する強心臓をお持ちなのかもしれません。

国民の側もこの矛盾に鈍感な様子です。言い方を変えれば、国民が岸田政権の破壊工作に気づいていないからこそ、好き勝手に日本の破壊に専念することができるのかもしれません。だとするなら、国民として破壊工作を阻止するための方策は、ただ一つ、岸田さんの魂胆《こんたん》を見破ることです。２０２４年を平穏の内に迎えるためには、私たちの気づきが決定的に重要なのです。

移民という名の日本乗っ取り作戦

ＬＧＢＴ法と並んで日本を破壊している政策は、移民問題です。メディアで盛んに人手不足が報道されていることが大変気になります。例えば、小中学校の教員の不足です。しかしちょっと考えてみれば、最近少子化のため生徒数が減ってきており、小中学校の統廃合が進んでいます。にもかかわらず、なぜ学校で教員不足なのでしょうか。生徒数減少に伴い、新規採用者を抑制してきたからというのが表向きの説明ですが、いかにも苦しい言い逃れに聞こえます。外国人の教員を採用しろとの世論作りを狙った姑息な手段とみなさざるを得ません。また、大学進学者の数が減っているのに大学数が増えていることも矛盾しています。

これらの人手不足を補うために、予備軍たちが観光客を装い現在大挙して我が国を訪れています。コロナ禍が一段落したので外国人観光客の受け入れを開始したとの政府の説明は、本質を隠すものです。最近の報道によれば、2023年9月の国別訪日客数トップ5は、韓国（26・1％）、台湾（11・6％）、中国（10・1％）、米国（7・2％）、香港（6・9％）となっています（日本政府観光局）。観光のためには事実上ビザが不要ですから、いわば誰でも訪日が可能です。問題はこれらの訪日客のうち観光が終わっても帰国しない連中がいることです。彼らは、日本で何をしようと考えているのか。多分就職でしょう。これには、岸田政権の後押しがあるからです。

例えば、品川駅の遊歩道には、「共生社会の実現のため、外国人の雇用に協力してほしい」との垂れ幕が掛けられていました。外国人の雇用は労働ビザで入国したもののみ可能ですが、要するに不法滞在外国人を積極的に雇用するようにとの政府のお達しと解釈することが可能です。つまり、政府自らが、不法滞在を奨励しているのです。岸田政権は賃金の安い不法滞在者に職を奪われている日本人勤労者の境遇を考えたことがあるのでしょうか。もしこのような不法滞在者が前述した教員不足などの埋め合わせをすることになれば、日本の教育は徐々に外国人不法滞在者の教員に蹂躙《じゅうりん》されて行く恐れが高いでしょう。

国難への対処法

かつて日本は少なくとも3回深刻な国難に見舞われました。第1回目は紀元1、2世紀ごろの儒教伝来です。当時文字を持っていなかった日本人は中国語が日本文化を席巻する恐れを感じて、儒教文献を日本語読みするという離れ業を発揮して、孔孟の教えを日本化しました。次に、6世紀になって仏教が伝来しました。我々の先祖は、本地垂迹《ほんちすいじゃく》説によって、天照大神《あまてらすおおみかみ》は大日如来と同じものだと理解して、仏教を日本化して受け入れました。私たちの大宗は日本人が開祖のお寺の檀家に属しています。

このような歴史を回顧して、芥川龍之介は我が国が固有の文化を破壊される国難を「造り変える力」で克服してきたことを例示しながら、1549年のフランシスコ・ザビエルの日本上陸から始まった一神教文明であるユダヤ・キリスト教の「破壊する力」に対し、日本文明を守るために「造り変える力」を発揮するよう呼びかけました（『神神の微笑』）。芥川龍之介が、いわゆるキリシタン物といわれるユダヤ・キリスト教の問題点を鋭く描いた短編集の中で『神神の微笑』を世に問うたのが1922年でした。当時の日本は、自由主義、民主主義、社会主義、それに共産主義など外来思想に翻弄されており、ユダヤ・キリスト教文明の「破壊する力」が猖獗《しょうけつ》を極めていました。危機感を覚えた芥川は『神神の微笑』を書いて、日本人に伝統的知恵に目覚めるよう呼びかけたのです。

この本は、キリスト教の布教が日本古来の霊力の抵抗にあっていることを明らかにした短編です。その中で、安土桃山時代に布教に来ていた実在の神父オルガンティノに日本での布教が困難を極めている苦悩を告白させます。そこへ、古来日本を守護してきた老人の霊が現れ、日本人の伝統的力について説教します。日本人はたとえキリスト教に表向き帰依しても、それはあくまで日本化したキリスト教なのだ。日本人は仏陀の教えにも帰依しているが、インド仏教ではなく日本人が開祖になっている仏教だ。だから、デウスも仏陀のように日本人化する宿命にある。日本を守護している霊は、何処《どこ》にでも、また何時《いつ》でもいるとオルガンティノに警告して去ってゆきました。

芥川は日本人なら「破壊する力」を日本の伝統精神に合うように造り変えて、日本を守ることになるだろうと確信していました。デウスが勝つか、日本の古代霊が勝つか、1922年年の段階では決着がついていないが、やがて日本人自身が決着をつけるだろうと後に続く私たちに希望を託しました。芥川龍之介は、同じキリシタン物で、『おぎん』という短編を残しています。

『おぎん』は日本人の「造り変える力」の源泉が先祖崇拝にあることを強調しました。江戸時代、キリシタン禁止令のさなか、キリシタンである養父母に育てられたおぎんは、ある日養父母と共に刑場に連行されました。火あぶりの刑の執行前に、転向の機会を与えられたのです。火あぶりを覚悟し、キリストの下に行くことができるとあくまで転向を拒否した両親に比し、転向すると宣言したのがおぎんでした。おぎんは、その理由を説明して、縛られた角柱から生みの両親が眠る墓場の松の木を見たとき、キリスト教を知らなかった両親は、地獄に落ちているはずだが、自分一人が天国に入ったのでは申し訳が立たない。そして、二人にともに地獄へ行こうと説得して、養父母も棄教したという話です。この短編は、先祖に対する敬愛の思いが、キリスト教が約束した天国よりも重要だったことを明らかにしています。フランシスコ・ザビエルなど当時の宣教師たちの報告書には、キリスト教に改宗したキリシタンに対し、キリスト教を知らない先祖は、皆地獄で苦しんでいると説明すると、彼らは悲しそうな表情になるとの記録が残されています。

芥川龍之介は、『おぎん』において、私たちの伝統的宗教感情がキリスト教を凌駕《りょうが》していることを強調したかったのです。先祖に繋がる家族愛の強さです。日本社会が安定していたのは、先祖崇拝が大切に守られていたからです。

さて、上に見たＬＧＢＴ法や移民は先祖崇拝という宗教的感情を無視するものです。つまり、家族の絆を破壊することが目的なのです。なぜなら、家族の紐帯を断絶すれば、独裁支配が可能となるからです。プーチン大統領が事あるごとに家族の重要性を強調しているのは、かつてのロシア革命時のごとき伝統的価値の破壊は国民を不幸にすることを、身にしみて感じているからなのです。

我が国においては、「造り変える力」と「先祖崇拝」が大和心を守ってきたと言えます。

芥川龍之介が１９２２年に後に続く私たちに託した希望が、岸田政権になって思いもよらなかった方向転換を遂げました。岸田政権は、ユダヤ・キリスト教文明側についてしまったのです。つまり、古代霊が追い払おうとした「破壊する力」の権化《ごんげ》になってしまいました。ここに、日本は日本で無くなったのです。岸田政権が日本人の政権でないことが、この点でも証明されます。岸田政権は日本の伝統的価値観を完全に破壊する政策を臆面もなく実践しています。ＬＧＢＴ法や移民奨励に加えて、２０２４年には選択的夫婦別姓問題が俎上《そじょう》に上るでしょう。

国民は自衛を

このような日本破壊政権に対し、私たち国民に残された手段は政府を当てにせず、自ら自衛する道を選択することです。これは決して孤独な戦いではありません。実は、そのヒントを示して下さったのが、田中英道・東北大学名誉教授による「日猶《にちゆ》同化論」です。既に紀元前10世紀の縄文時代からユダヤ人たちは日本列島に渡来していましたが、彼らは縄文日本人の生き方に共感して、そのまま日本に同化してゆきました。

その後も数回にわたりユダヤ人たちは渡来し、日本に彼らの痕跡を残しつつ、居つくようになったというわけです。彼らは日本文化の高度化に貢献しました。古墳群や神社などは彼らの残した遺産といえます。また、現在の日本人の9分の1がユダヤ人の血を引いているそうです（田中英道『日本にやって来たユダヤ人の古代史』文芸社）。つまり、現在の日本人のうち約1400万人がユダヤ人系だとすることも可能です。

これは、日本が世界で最大のユダヤ人系の国であることを意味しています。イスラエルは1000万人以下です。アメリカのユダヤ人は500万人前後にすぎません。しかも、彼らの大宗はディアスポラ・ユダヤ人で、国家を認めないグローバリストの人々です。しかし、これからは前述したハマス・イスラエル戦争に見られるように、戦争指向のグローバリズムが廃れ、国民を大切にするナショナリズムが世界の潮流となるでしょう。世界最大のユダヤ人系国家日本と2位のイスラエルという二大ナショナリズム国家が連携すれば、世界に大きなインパクトを与えることになるでしょう。

トランプ大統領の「『アメリカ・ファースト、各国ファースト』に基づく世界の調和」、プーチン大統領が依って立つ「ソボールノスティ集団政体」とともに、世界に平和が訪れることになるはずです。とかく、特別視されがちのユダヤ人に対し、彼らが持つ普遍性の側面に世界の関心が向けられることが、予想されます。

芥川龍之介は、日本人の多くがユダヤ人との混血であることには気づいていませんでした。だから「造り変える力」がユダヤ・キリスト文明の「破壊する力」にいずれ勝利すると確信していたのです。しかし、田中説によれば、日本列島が持つ強力な同化力がユダヤ人を日本人に造り変えてしまっていたのです。1922年の当時において、日本は既にユダヤ・キリスト教文明に勝利していたと言えるのです。

これこそ究極の歴史修正主義です。今後は、この歴史的事実を世界に発信することが求められます。発信が世界に受け入れられるためには、私たち自身が、日本の伝統的統治形態である「君民共治」を実現し、世界の師表となる必要があります。

君民共治とは、天皇陛下の権威を一方に戴き、他方に民による権力行使を可能にする政体です。権威と権力の二権分立ではありますが、単なる分立ではなく、民もまた天皇陛下と同様の権威を備えた存在であることが重要なのです。この点を、国語学者